취업을 위한 대학생활

커리어디자이너 김현숙

취업을 위한 대학생활

발　행 | 2025년 01월 15일
저　자 | 김현숙(커리어디자이너)
펴낸이 | 한건희
펴낸곳 | 주식회사 부크크
출판사등록 | 2014.07.15(제2014-16호)
주　소 | 서울특별시 금천구 가산디지털1로 119 SK트윈타워 A동 305호
전　화 | 1670-8316
이메일 | info@bookk.co.kr

ISBN | 979-11-419-7640-8

www.bookk.co.kr

머 / 리 / 말

이 책은 취업을 준비하는 대학들을 위한 취업 방법을 배우는 책이다. 이 책은 특별한 스펙을 가진 사람을 위한 책이 아니라 무엇을 해야 할지 방법, 방향을 모르는 이들을 위한 책이다. 물론 대학생 중 저학년을 대상으로 내용을 담은 책이지만, 대학생이 아니더라도 취업의 방향성을 모른다면 이 책으로 한 걸음씩 전진 해보길 바란다. 또 고학년이지만 아무것도 해 두지 않은 것 같다면 이 책으로 점검과 계획을 세우길 바란다. 이 책은 감동이나 도전 의식을 주는 책이 아니다. 하지만 한 단계씩 따라가다 보면 자신의 부족한 부분을 발견하게 되 것이고, 무엇을 더 준비해야 할 지 계획도 세워지게 될 것이다. 취업 관련의 수업을 진행하실 분들도 이 책으로 진행한다면 워크북 형식으로 되어 있어서 학생들과 소통하며 원활한 수업을 진행할 수 있다. 안내한 사이트도 참고해서 수업을 진행한다면 유익한 수업이 될 것이다.

아무쪼록 취업을 준비하는 모든 이들에게 이 책이 나침반이 되어 목표로 하는 취업 성공을 이루는 소식이 들려지기 바란다.

커리어디자이너 김현숙

목 / 차

01.
대학생활의 이해

1. 대학 생활의 특징

대학 생활은 학문적인 경험뿐만 아니라 사회적, 인간적인 측면에서도 풍부한 도전과 성장의 여정을 제공한다. 특히 4년제 대학에서의 대학 생활은 이러한 다양한 경험을 제공하는 곳으로서, 학문적인 깊이와 동시에 인간적인 연결을 형성할 수 있는 기회를 제공한다. 대학을 다닐 동안 우리는 이러한 부분에서 성장하기 위해 대학생활의 특징을 잘 이해하여야 한다. 아래 4가지의 특징을 잘 유념하고 알찬 대학생활을 설계하자.

(1) 다양성과 열린 사고

다양한 전공과 교양 과목을 통해 학문의 다양성을 체험할 수 있습니다. 학생들이 자신의 강점과 흥미에 따라 전공을 선택하고 다양한 분야에서 지식을 쌓을 수 있는 토대를 마련하고, 다양한 문화와 배경을 가진 사람들과의교류를 통해 넓은 시각과 열린 사고를 갖출 수 있는 기회를 제공한다. 입학할 때 지원한 전공에만 머물러 있지 말고 복수전공으로 배울만한 것이 무엇이 있는지 파악해보기 바란다.

대학생들을 만나보면 본인이 지원한 학과에서 학업하면서 이 분야로 취업문이 좁다는 것을 인식하면 다른 분야로 눈을 돌리기 시작하는 경우가 많다. 예를 들어 '국어교육'학과에서 공부를 하다가 임용시험에 부담감을 느꼈거나, 교사의 TO가 많이 없다는 것을 느꼈거나, 경쟁이 심하다는 것을 느끼면 복수전공을 생각한다. 그런데! 이때 복수전공이 다른 교육학과를 많이 선택한다. 이왕 교육학 분야로 공부하는 것. '교사로 진출할 수 있는 가능성을 열어두자.'라는 마음에서 이다. 교사의 꿈이 확실한 사람에게는 이러한 복수전공이 괜찮을 수도 있으나 나는 이러한 선택보다 '국어 ' 라는 학문에서 확장해보길권한다. 글과 관련된 직업 분야(카피라이트, 출판사 에디터, 기자등)라든지 한국어강사, 통번역사 등 한국어를 활용한 직업으로 확장하기 위해 필요한 분야로 복수전공을 하는 것을 추천한다.

이렇게 대학 생활은 다양성과 열린 사고를 증진시키는 시기이니, 생각과 시각을 넓힐
수 있도록 본인의 마음과 발걸음을 확장시키는 활동을 하길 바란다.

(2) 자율성과 책임감

대학에서 학생들은 강의나 연구 프로젝트를 통해 주도적으로 학문에 참여하고 자신만의 학문적 호기심을 발휘할 수 있다.

또한, 자유로운 수업 선택과 동아리나 학회, 봉사활동 등 다양한 활동을 통해 리더십과 팀워크를 발전시키며 책임감 있는 사람으로 성장할 수 있다.

사회에 책임 있는 사람으로 살기 위해 대학생활 동안 리더십을 키우고 팀워크 활동을 통해 다양한 사람들과 함께 하는 방법을 배워야 한다. 내가 속해 있는 대학에는 어떤 분야가 있는지 살펴보고 팀으로 활동할 수 있는 분야로 지원해보자. 그리고 대학 조직도를 살펴보면서 대학이 학생에게 지원하는 부분을 꼼꼼하게 확인하여 대학생활 동안 알차게 활용할 수 있도록 계획을 세우자. 대학은 중고등학교 시절과는 달리 매 학기마다 본인이 수업을 선택한다. 수업뿐만 아니라 대외활동도 스스로 선택하고 선택한 것에 책임을 져야 한다. 대학에서 우리는 자율성과 책임감을 갖춘 사람으로 성장해야 한다.

(3) 실무경험

대학에서는 산업체와의 파트너십, 산업체에서의 인턴십 프로그램, 그리고 실무 중심의 프로젝트 등의 실제 업무 환경에서 필요한 기술과 지식을 습득할 수 있다.

학과에서 자체적으로 진행되는 경우도 있고, 학교에서 모집하는 경우도 있다. 그렇기 때문에 학과 사무실에서 제공하는 소식과 학교에서 제공하는 소식을 틈틈이 챙겨서 보는 습관을 가져야 한다. 과거 학과, 대학에서 실행되었던 프로그램들을 살펴보면 앞으로 진행될 프로그램들을 예상할 수 있으니 현재만 살펴보지 말고 과거 프로그램도 꼼꼼하게 살펴보고 미리 계획해보기 바란다.

이렇게 대학은 학문적인 내용을 실무에 적용하는 기회를 제공하며, 졸업 후의 경쟁력을 높일 수 있는 중요한 장점을 가질 수 있다. 특히 실무경험을 중요하게 여기는 현 시대에서 4년제 대학은 산업체와의 협력을 더 활발하게 기획하고 있기 때문에 열심히 서칭(searching)하는 이에게 아주 좋은 진로활동이 될 수 있다.

(4) 자기성장의 자세

대학은 학업, 동아리 활동, 대인 관계 등 다양한 경험을 통해 자기 자신을 더 깊이 이해하고 성장할 수 있는 계기를 제공한다. 대학을 졸업하기 위해 필요한 학점을 알아보고 그 학점을 채우기 위해 전전긍긍하지 않길 바란다. 대학졸업장을 얻기 위해서만 학업을 시작한 것은 아니지 않는가. 대학 생활의 기간 동안 ' 나는 어떤 사람이며, 어떤 사람으로 성장할 것인가.' 고민하고 찾아보고 계획하는 시간을 갖길 바란다. 필요하다면 다양한 분야로 수강 신청하여 편협 되어 있는 자신을 더 넓은 세상으로 내어 놓길 바란다. 세계적으로 명성을 펼치고 성공했다고 인정받는 사람들을 보라. 그들은 어느 한 분야만 공부하지 않았다. 자신의 전공에 IT분야, 심리학, 미술, 음악 관련 분야 등 다양한 공부를 통해 성장하였다.

이러한 태도는 졸업 후에도 계속되는 자기 발전의 자세를 갖출 수 있도록 해준다.

4년 동안 대학에서의 대학 생활은 학문적인 지식뿐만 아니라 다양한 경험과 도전을 통해 학생들을 성숙하고 창의적인 시민으로 성장시키는 특별한 시간이다.삶 의 기초를 다지는 것뿐만 아니라 미래의 성공을 위한 강력한 발판을 제공하는 중요한 단계이다. 그렇기 때문에 새로운 것을 시도하는 것을 두려워하지 말고 문을 두드려보라. 그러면 열어주고 아주 친절하게 안내해주는 사람이 기다리고 있다.

2. 대학생활 중에 꼭 점검해야 할 것

4년제 대학 생활 중 꼭 점검해야 할 중요한 사항들이 있다. 이 사항들을 잘 체크하면 학업, 진로, 건강 등 다양한 측면에서 더욱 효과적으로 대학 생활을 계획하고 즐길 수 있다. 하나씩 체크하고 기록해보자.

(1) 전공에 대한 이해 갖추기

4년 동안 당신은 무엇을 배우게 되는지 학과 홈페이지를 정독해보라. 학과소개, 교수진 소개, 학과 커리큘럼 등 당신의 진로설계에 도움이 될 나침반이 그곳에 있다. 꼭 알아 두어야 할 내용을 정리하고, 과거 학과에서 진행한 프로그램과 우리

학과에서 어떤 분야로 진출하였는지 선배들의 정보도 찾아서
'활동지 1-1'에 정리하자.

(2) 학사일정 확인과 수업 계획 점검

이번 학기의 학사일정은 확인하였는가? 수강신청한 과목의
수업계획은 제대로 확인하였는가? 많은 대학생들이
애타(애브리타임:대학생들이 대학 관련 정보를 공유하는 어플)를
많이 의존한다. 그 곳에 올라온 과목평, 교수평을 보고
수강신청을 한 후 그냥 교수가 이끄는 대로 수업에 참여한다.
특히 교양수업은 전공수업보다 애타로 결정하는 선택이 더 크다.
그렇게 선택해서 듣게 된 과목이다 보니 더 이 수업으로 얻게 될
부분에 대한 확인을 하지 않고 수업이 어떤 형식으로
이루어지는지에 대해 잘 모르고 개요, 목표에 크게 관심을 두지
않는다. (교수는 수업을 계획할 때마다 가장 신경 쓰는 것이
개요, 목표인데…)
수강신청을 할 때에는 나에게 어떤 영향을 줄 것인가를 고려하고
선택하길 바란다. 그냥 학점 채우기용이 아니라 멋진 나를
다듬어가기 위해 도움이 될 것을 생각하며 선택하길 바란다.
'활동지 1-2' 내용을 바탕으로 이번 학기 선택한 당신의
수강과목을 점검해보는 시간을 갖자.

활동지 1-1

학과소개

학과 관련 직업

학과 커리큘럼

학과 선배

	1	2	3	4	5	6	7
과목명							
전공 여부							
개요							
과목 목표							
학점							
개인적 목표							
평가 방법							
기타							

(3) 대외활동 파악 및 계획

대학은 전공 분야에 대한 깊은 학문 연구도 중요하지만 넓은 시각과 인간관계를 형성하는 것도 아주 중요하다. 그러한 능력을 키우기 위해 학과 내에서만 머물러 있지 말고 다양한 사람과 다양한 활동을 할 수 있는 환경으로 나가야 한다. 동아리, 봉사, 학생회 등의 활동과 근로학생 경험, 아르바이트 등으로 사회생활을 조금씩 경험해보는 것도 좋다.

● 동아리 : 나의 대학에는 어떤 동아리가 있는가? 관심 있는 동아리는 무엇인가? 왜 관심이 있는가? 동아리를 선택할 때 꼭 염두에 두어야 하는 것이 있다. 건강한 동아리인가?
아직도 '먹자, 놀자'에만 편중된 동아리가 간혹 있다. 동아리는 우리를 성장시키는 것이어야 한다. 그렇기 때문에 동아리에 대한 점검이 중요하다. 친구 따라, 선배 때문에, 지나가다 홍보에 훅 넘어가는 식의 동아리 가입은 금물이다. 반드시 건강한지 파악하라. 그 동아리의 역사, 현재 동아리 임원, 주변 소문 등으로 반드시 점검하라..나에게 어떤 도움이 되는 동아리인가? 동아리는 다양한 성격을 가지고 있다. 학과와 연계된 동아리, 봉사 동아리, 종교 동아리, 체력 관련 동아리 등이 있다.
모두 각자의 고유한 성격을 가지고 있는 동아리들 중 나는 어떤 부분에 집중할 것인가를 고려하라. 무엇보다 육체적, 심리적으로 건강할 수 있는 동아리를 찾는 것이 좋다.

● 봉사 : 동아리를 통해서 하는 봉사도 있지만 스스로 찾아서 하는 봉사도 의미가 있다.

간혹 봉사 동아리를 가입했는데 사과 따러 가고, 하천 청소를 갔는데 본인은 교육 분야로 진로를 두고 있거나 의료 분야로 진로를 두고 있는 경우가 있다. 그럴 때 상담을 하면 참 미안하다. "있잖아, 그 봉사는 네가 졸업하기 위해 봉사시간 채운 것으로 만족해야겠다. 네가 앞으로 할 일은 사람을 만나는 일인데 봉사활동은 사람을 많이 만나지 않는 활동을 한다면 자기소개서에 직무와 연관된 내용을 적을 거리가 없단다." 이렇게 이야기할 수 밖에 없다. 1365, VMS를 통해 개인적으로 봉사활동을 해보자. 특히 봉사를 할 때 본인의 진로와 연관성이 있는 봉사를 하는 것이 좋다.

● 학생회 활동 : 간부가 되어 본다는 것은 사회생활 중 조직을 작은 크기로 경험해 보는 것이라 할 수 있다. 첫 취업은 사회초년생, 신입으로 시작하겠지만 2~3년만 지나면 리더자가 되어야 한다. 그렇기 때문에 학생회 활동을 통해 조직내의 소통과 협업 능력을 키우고, 기획과 실행력도 성장시켜보는 것은 아주 좋은 경험이 된다. 예산을 세우고 기획하며 필요한 문서들을 작성하면서 회사생활에 행해지는 업무이기에 학생회 활동을 하면서 그 능력을 키워보는 것이 좋다.

● 근로학생 & 아르바이트 : 학업을 하면서 돈을 버는 이유는

다양하다. 전공과 연관된 경제활동이라면 괜찮지만 좀 더 풍족한 대학생활을 하고 싶다는 마음으로 일을 한다면 반대하고 싶다. 그 시간에 차라리 학업에 더 집중하여 장학금 받고 지식도 더 갖추는 것이 좋다. 집안 사정으로 어쩔 수 없이 경제활동을 해야 한다면 시간을 잘 활용하고, 체력적으로 잘 관리하여 학업이 뒤처지지 않도록 유념하길 바란다. 사회활동을 미리 해보는 것은 좋지만 직무와 연관성이 없으면 회사를 그것을 경력, 경험으로 인정해 주지 않기 때문이다.

(4) 건강한 생활

● 신체 건강 : 대학생은 스스로 본인의 체력을 점검하고 건강하게 유지하는 방법을 터득하고 습관으로 만들어야 한다.

대학생을 만나보면 최대한 오전 9시 수업을 피하려고 하고, 공강 시간에는 기숙사에 가서 낮잠을 자기도 하며, 밤늦게 게임과 술, 오락 등으로 그 다음날에 지장을 주는 경우를 많이 본다. 이제 성인이 되어 자유롭게 할 수 있는 것들을 누려보고 싶은 마음을 이해가 되나 자유에는 항상 책임이 따라 붙는다. 어느 정도라는 기준을 가지고 있어야 하며 자신의 체력을 잘 다듬을 수 있도록 노력해야 한다. 요즘은 조금씩 알레르기, 비염, 피부염 등을 앓고 있는 학생들이 많다. 환경, 식습관, 유전 등이 요인이겠지만 이것을 잘 다스려야 하는 것도 본인의 능력이다. 회사에 취업하기 위해서는 지원서를 통과하고, 각 적성검사 등의 시험을 통과하고, 1~3차의 면접을 통과해도 신체,체력 검사에서 떨어지는 경우도

있다. 물론 엄청 좋은 체력을 요구하는 것은 아니나 취업을 해서
도 자주 아파서 결근한다면 어느 회사가 좋아하랴.

자취를 하든, 기숙사 생활을 하든, 집에서 등하교를 하든. 잘
자고, 잘 먹고, 잘 씻는 것은 인간으로서 필수적으로 해야 할
행위이다. 귀챠니즘을 벗어나서 건강한 체력을 만들 수 있는
습관을 갖추자.

● 정신적 건강 : 대학생활 중 정신적 건강을 잘 유지하기
위해서는 8가지 정도를 잘 관리할 필요가 있다.

① 규칙적인 휴식과 충분한 수면: 규칙적인 수면 패턴을
유지하고 충분한 휴식을 취함으로써 신체적, 정신적으로
회복할 수 있다. 잠이 부족하면 스트레스 증가, 집중력 감소
등이 발생할 수 있으므로 충분한 휴식이 중요하다.

② 규칙적인 운동 : 정기적인 운동은 신체적 건강 뿐만
아니라 정신적 건강에도 긍정적인 영향을 미친다. 산책, 조깅,
요가 등 다양한 운동을 시도하며, 활동을 통해 스트레스를
풀 수 있다.

③ 실현 가능한 목표와 계획 : 큰 목표를 작은 목표로
나누고, 계획을 세우는 것은 자신에 대한 효과적인 통제감을
주고, 성취감을 높일 수 있다. 너무 많은 일을 동시에
처리하지 않도록 주의하고, 우선순위를 정하여 계획을
세우자.

④ 소셜 네트워크 및 지원 체계 구축 : 가족이나 친구들과

꾸준한 소통은 정신적 건강을 지탱해줄 수 있다. 대학 내에서 동아리, 학회 등의 활동에 참여하여 다양한 인간관계를 형성하자.

⑤ 스트레스 관리 기술 습득 : 스트레스 관리 기술을 습득하여 긴장을 풀고, 긍정적인 마인드셋을 유지하자. 명상, 근육 이완법, 깊은 숨쉬기 등의 기술은 스트레스를 완화하는 데 도움이 된다.

⑥ 전문가와의 상담 : 정신건강 전문가와의 상담은 정신적인 어려움이나 스트레스 관리에 큰 도움을 줄 수 있다. 교내의 전문가에게 도움을 요청하여 상담하는 것이 정신적 건강을 유지하는 데 도움이 된다.

⑦ 쉬는 시간 활용 : 휴식과 쉬는 시간도 중요하다. 책을 읽거나 취미를 즐기는 등 자기 즐거움의 시간을 가짐으로써 긍정적인 에너지를 얻을 수 있다.

⑧ 자기존중감과 긍정적인 태도 : 자기 자신을 받아들이고 사랑하는 자세는 정신적 건강을 높이는 데 중요하다. 부정적인 생각에 주의를 기울이지 말고 긍정적인 태도를 유지하려 노력하자.

• 재정적 건강 : 대학생활 중 재정적 건강을 잘 유지하기 위해서는 신중하고 계획적인 재정 관리가 필요하다. 학비, 생활비, 비상금 등을 효과적으로 관리하여 금전적인 스트레스를 최소화하고 안정된 대학 생활을 누릴 수 있도록 하자.

우선, 학비와 관련하여 정확한 정보 수집과 계획이 필요하다. 부모님이 이 부분을 모두 지원해준다면 한시름 좋겠지만 그렇지 않다면 등록금, 교재비, 기숙사비 등을 포함한 모든 비용을 파악하고 이를 토대로 학기별예산을 세워야 한다. 장학금이나 학자금 대출 등을 고려하여 재정 조달 방안을 계획하고 필요한 서류를 제출해서 재정으로 학업이 멈추어 지지 않도록 계획을 세워야 한다.

생활비 관리도 중요한 부분이다. 주거 비용, 식비, 교통비, 통신비 등을 예측하여 월별 생활비 예산을 세우자. 정기적으로 가계부를 작성하여 지출 내역을 파악하고 여유 있는 예산을 유지하도록 노력하자. 그러기 위해 할인 혜택을 활용하거나 중고물품을 구입하는 등 절약 방법을 찾아보자. 또 의료 비용, 긴급 상황, 예상치 못한 비용 등을 고려하여 적절한 비상금을 준비해두는 것도 좋다. 무엇보다 알뜰한 생활 습관을 갖도록 노력하자. 할인 카드 활용, 학교에서 제공하는 혜택 등을 잘 찾아 두자.

아르바이트나 인턴십 참여도 재정 건강에 도움이 되니 학업에 지장이 없는 선에서 직무와 연관된 경제활동을 하여 전문성을 키우면서 동시에 일정한 수입을 얻는 방법도 모색해보자.

이러한 경험은 앞으로 회사 생활에도 효율적인 경제 활동을 능력을 발휘하는데 도움이 될 것이다.

02.
자기 인식과 발견

1. 강점과 관심사 파악

대학생활 중 강점과 관심사를 파악하는 것은 개인의 성공과 만족도를 향상시키는 중요한 요소이다. 강점과 관심사를 알아내는 과정에서는 자기 인식을 향상시키고, 적절한 경로를 선택하는 기반을 다져서 학업, 진로, 대인 관계, 그리고 삶 전반에 긍정적인 영향을 미치게 된다. 자신의 강점과 관심사를 파악하면 어떠한 도움을 얻게 되는지 살펴보자.

(1) 자기를 인식하는 데 도움이 된다. 대학은 다양한 학문 분야와 활동들이 풍부하게 제공되는 환경이기 때문에 어떤 분야에서 자신의 강점을 발견하고 관심을 가질지 탐색하는 것이 중요하다. 이를 통해 자기 자신에 대한 이해가 높아지며, 성공적인 대학 생활의 기반이 마련하게 된다.

(2) 진로 선택에 도움된다. 어떤 분야에서 뛰어난 능력을 가지고 있는지 파악하면 해당 분야에서의 전문성을 키우고 깊이 있는 학습을 할 수 있다. 이는 나아가 졸업 후의 진로 선택에서도

도움이 되어 미래에 걸친 경력 계획을 세우는 데 도움이 된다.

(3) 강점과 관심사를 바탕으로 한 활동 참여는 학문적 성장과 동시에 인간관계와 리더십 발전에도 기여한다. 대학은 동아리, 학회, 봉사활동 등 다양한 활동들을 제공하고 있습니다. 자신의 강점을 활용하고 특별한 관심을 가진 분야에서 활동하면, 동료들과의 협업에서 뛰어난 기여를 할 수 있습니다.

(4) 취업 시장에서의 경쟁력을 향상시킨다. 졸업 후의 취업은 자신이 잘하는 것에 대한 이해와 그것을 어떻게 활용할지에 대한 명확한 계획이 필요하다. 강점을 토대로 한 진로 탐색은 자신을 효과적으로 마케팅 하는 데 도움이 되어 더 나은 취업 기회를 창출할 수 있습니다.

(5) 삶의 만족도를 높이는 데 기여한다. 자신이 좋아하고 잘하는 일을 선택하면 그 일에 흥미를 가지게 되고, 높은 동기부여를 유지할 수 있다. 이는 삶의 다양한 영역에서 성취감과 만족도를 높여줄 것이다.

2. 자아인식을 통한 진로 탐색

(1) 흥미검사

흥미는 개인이 특정한 영역을 좋아하거나 관심을 갖는 것을 말한다. 사람은 각자가 다양한 흥미를 가지고 있다. 이러한 흥미를 발견하여 직업과 연결을 하면 우수한 성과를 발휘하게 되고 그것은 성취감과 만족감, 행복감으로 연결된다.

흥미를 검사하는 방법은 대표적으로 Holland 검사(STRONG 검사)가 있다. 이러한 검사를 통해 자신의 흥미를 명확하게 파악해보는 것은 진로 설정에 많은 도움이 될 것이다. 하지만 너무 맹신하는 것은 위험하다. 참고로만 사용하기를 권장한다.

본 책에서는 Holland 검사를 위주로 흥미를 살펴보고자 한다.
'Holland 직업 성향 검사'는 개인의 직업 적합성을 평가하는 도구로, John L. Holland이 개발한 성격 유형 이론에 기반하고 있다. 이 검사는 개인의 성격을 6가지 주요 유형으로 나누고, 각 유형에 따라 어떤 직업이나 진로가 더 적합한지를 제시한다. Holland의 이론에 따르면 개인은 그들의 성격 유형 중 몇 가지에 더 가까운 직업을 선호하게 되며, 이는 직업 만족도와 성과에 영향을 미칠 수 있다고 주장한다.
Holland 검사는 현실형(Realistic), 탐구형(Investigative), 예술형(Artistic), 사회형 (Social), 진취형(Enterprising), 관습형(Conventional), 이렇게 6가지 유형으로 나누어지면 각 유형의 영어 첫 글자를 따서 ' RIASEC 검사 ' 라고도 부른다.
워크넷(https://www.work.go.kr)에서 ' 청소년 직업흥미검사', ' 직업 선호도 검사 ' 에서 무료로 검사가 가능하다. 검사 후 해석도 꼼꼼하게 나와 있으니 참고하길 바란다.
본 책에서는 간이식으로 검사를 할 수 있도록 안내를 해 두었으니 가볍게 검사를 해보고 싶다면 사용해보기 바란다.

각 내용 부분을 잘 읽고 본인에게 해당이 되는 번호를 'O'표 해주세요.

번호	내 용
1	스스로 조립하거나 만들 수 있는 제품을 즐겨 산다.
2	사물에 대해 깊이 있는 이해하기를 좋아한다.
3	옷을 남 다르게 입는 것을 좋아한다.
4	어려움에 처한 사람들에게 관심을 갖고 도와주려고 한다.
5	규모가 큰 프로젝트를 따내는 일을 하고 싶다.
6	원리 원칙대로 행동해야 한다고 생각한다.
7	자동차 등의 기계를 정비하는 일이 재미있을 것 같다.
8	논리적으로 생각하고 분석하는 편이다.
9	감정 표현이 풍부하다.
10	불우한 이웃을 돕는데 더 많은 관심이 필요하다.
11	집단에서 지도자가 되는 것에 도전하고 싶은 마음이 있다.
12	하루 일과가 잘 짜여 있으면 마음이 편하다.
13	연장을 사용하여 일 하는 것을 좋아한다.
14	시험에서 틀린 문제는 정답을 알 때까지 밝혀낸다.
15	미적인 감각이 뛰어나다는 이야기를 자주 듣는다.
16	사람들의 개인적인 이야기를 잘 들어 주는 편이다.
17	야망이 큰 편이다.
18	꼼꼼하게 일을 처리해야 만족감이 느껴진다.
19	고장 난 제품을 스스로 고치려고 분해한다.
20	지적인 토론이 있는 대화를 좋아한다.
21	음악, 미술에 관심을 갖고 감명을 받기도 한다.
22	남에게 도움을 줄 수 있는 직업을 하고 싶다.
23	조직의 높은 위치에서 사람들을 이끌고 싶다.
24	일을 처리할 때 신중하게 하는 편이다.
25	손으로 만드는 일이 즐겁다.

번호	내 용
26	여러 가지 현상에 대해 호기심을 갖고 있다.
27	제품의 디자인을 눈여겨보는 편이다.
28	다른 사람에게 위기가 닥쳤을 때 돕는 것을 자처하는 편이다.
29	어떤 분야에서든 주도적으로 일을 하는 편이다.
30	정해진 규칙대로 일하지 않으면 불안해진다.
31	사무실 안에서 일 하는 것보다 밖에서 일하는 것이 더 낫다.
32	각 제품의 성능을 비교, 분석한다.
33	예술은 우리 삶을 풍요롭게 한다고 생각한다.
34	사람들의 고민을 잘 들어주는 편이다.
35	남에게 지는 것을 싫어 한다.
36	쉽게 찾을 수 있도록 물건을 잘 정리하는 편이다.
37	도구를 사용하여 무엇을 잘 만드는 편이다.
38	난이도가 높은 문제를 푸는 것에 도전하며 즐긴다.
39	예술 작품을 음미할 줄 안다.
40	타인의 입장에서 생각하는 편이다.
41	사회적 지위 획득에 관심이 많다.
42	정리정돈을 좋아하고 잘 하는 편이다.

위 항목에 '그렇다'라고 해당되는 번호에 'O'표하세요.	1	2	3	4	5	6
	7	8	9	10	11	12
	13	14	15	16	17	18
	19	20	21	22	23	24
	25	26	27	28	29	30
	31	32	33	34	35	36
	37	38	39	40	41	42
'O'표의 개수를 적으세요.						
	R	I	A	S	E	C
	현실형	탐구형	예술형	사회형	진취형	관습형

각 유형의 개수를 점으로 표현한 후 각 점들을 연결하세요.

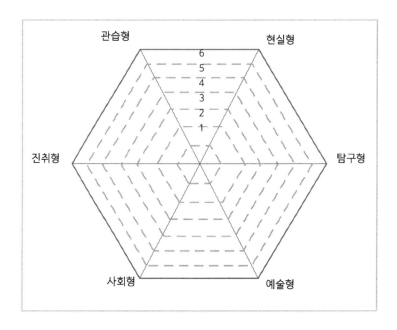

점들을 연결했을 때 만들어진 도형에 따라 해석이 다르게 되어진
다.
육각형 모형에 가까울수록 어느 한 유형으로 특화되지 않은 특징
이 있다. 이렇게 검사 결과가 나온 사람은 다른 검사를 좀더 하
여서 본인을 깊게 탐구할 필요가 있다.
도형이 찌그러지고, 특히 한쪽이 두드러지게 나올수록 한쪽 유형
으로 특화된 유형이다. 그 중 하나가 튀어나온 것이 아니라 이웃
하고 있는 유형도 함께 발달 되었다면 발날된 성향을 포힘한 진

로를 찾아보는 것이 좋다. 반대로 반대쪽 유형이 발달 되었다면 다른 검사를 통해 본인을 좀더 깊게 탐구할 필요가 있다.

도형의 크기가 클수록 자존감이 높으며, 작을수록 자존감이 낮은 편이다. 자존감이 너무 낮게 나온다면 이런 유형검사보다 심리적으로 자신의 자존감이 낮은 이유를 찾고 자존감을 높일 수 있도록 해야 한다. 상담을 통해서라도 자존감을 높이는 것이 더 시급하다.

아래 '표 2-1'을 통해 본인의 흥미를 점검하는 시간을 갖자.

"매일 조금씩 나아진다면, 한 달 후에는 큰
변화를 보게 될 것이다."
- 헬렌 켈러 -

표 2-1. Holland 검사 유형별 특징

잘 하는 활동	유 형	특 징	적성 및 강점	선호직업
운동하기, 앞구르기, 길 찾기, 동식물 키우기, 줄넘기, 조립하기, 망가진 물건 고치기, 오래달리기	현실형 Realistic	솔직, 성실, 검소, 말이 적으며 고집이 있고 단순함	기계 및 건설 분야 신체적인 활동	기술자, 정비사, 항공기 조종사, 개발자, 설계자, 엔지니어, 동물전문가, 계획가, 운동선수 등
동식물 관찰하기, 컴퓨터 하기, 실험하기, 수학계산하기, 책읽기, 집중하기, 과학과목, 수학과목	탐구형 Investigative	탐구심이 많고, 논리적, 분석적, 합리적이며 신중함	수학, 과학 분야 분석 및 조사활동 연구분야	과학자, 수학자, 물리학자, 의사, 대학교수, 연구원, 발명가, 생물학자, 저술가, 프로그래머 등
악기연주, 사진 찍기, 조각하기, 목걸이 만들기, 다이어리 꾸미기, 요리하기, 노래하기, 그림 그리기	예술형 Artistic	상상력이 풍부하고 자유분방, 개방적, 개성적이고 감정 풍부	문화분야 예술분야 창작활동	예술가, 가수, 작가, 무대감독, 디자이너, 시인, 무용가, 만화가, 음악 평론가, 연예인 등
친구 화해시키기, 종교활동, 봉사활동, 친구 말 잘 들어줌, 인사하기, 양보하기	사회형 Socail	사람을 좋아하고 친절함, 애정이 많고 이상주의적	교육분야 서비스 분야 봉사활동 대인활동	교육자, 상담가, 레크레이션 강사, 성직자, 사회복지사, 청소년지도사, 치료사 등
리더십, 긍정적인 생각, 새로운 일에 도전하기, 협동심, 토론하기	진취형 Enterprising	통솔력과 지도력이 있으며 경쟁적, 낙관적, 열성적임	사업 및 정치 분야 설득활동	기업가, 정치가, 영업사원, 매니저, 영화감독, 언론인, 연출가, 관리자 등
책상정리, 파일정리, 청소하기, 수집하기, 노트필기, 빠른 숫자 계산	사무형 Conventional	계획적이며 변화를 좋아하지 않고 책임감이 강함	규칙을 지키는 일 꼼꼼함 사무능력	공인회계사, 은행원, 세무사, 공무원, 사서, 법조인, 비서 등

(2) 성격검사

성격은 타고난 것도 있지만 성장과정 중 경험하게 되는 후천적 요인에 의해서 변하기도 한다. 이렇게 형성된 성격은 진로를 선택할 때 많은 영향을 미친다. 흥미검사를 통해 알게 된 유형처럼 성격 검사를 통해 자신의 성격을 바탕으로 진로를 선택하면 일에 더 열정이 생기고 성장을 할 수 있으며, 일에 대한 만족도도 높아진다. 하지만 흥미검사처럼 너무 맹신하는 것은 위험하다. 참고로만 사용하기를 권장한다.

성격 검사의 종류에는 MBTI(Myers-Briggs Type Indicator), 다섯 요인 성격 검사 (Big Five Personality Traits), DISC, Enneagram, 강점 발견(StrengthsFinder) 등 다양한 검사도구가 있다.

본 책에서는 간이식으로 DISC 검사와Enneagram 검사로 본인의 성격을 파악해보고자 한다.

① DISC 검사

'DISC 검사 행동 유형 검사(Personality Behavior Type)'는 개인의 행동양식을 평가하여 각각의 주요 성격 유형을 4가지 타입으로 구분하는 도구이다. 4가지로 유형이 나누어지다 보니 개인 성격을 가볍게 파악하는 도구뿐만 아니라 소통, 리더십, 팀빌딩, 인사관리 등 다양하게 활용할 수 있는 도구이기도 하다. 본 책에서는 간이식으로 검사를 할 수 있도록 안내를 해 두었으니 가볍게 검사를 해보길 바란다.

각 번호 한 개의 행 중에서 당신을 가장 잘 설명한다고 생각되는 단어에 'O'표시 하기. 한 개의 행에 반드시 1개의 단어만 선택하기 바란다. 2개 이상의 단어가 본인에게 해당이 되어도 그 중에 더 가까운 단어에 'O'표시를, 한 개의 단어도 해당 되지 않더라도 최대한 본인에게 더 가까운 단어에 'O'표시 하기

	A	B	C	D
1	절제	강력	꼼꼼	표현력
2	개척적	정확한	흥미진진	만족스러운
3	기꺼이 하는	활기 있는	대담한	정교한
4	논쟁을 좋아하는	회의적인	주저하는	예측할 수 없는
5	공손한	사교적인	참을성이 있는	무서움을 모르는
6	설득력 있는	독립심이 강한	논리적인	온화한
7	신중한	차분한	과단성이 있는	파티를 좋아하는
8	인기 있는	고집 있는	완벽주의자	인심 좋은
9	변화가 많은	수줍음을 타는	느긋한	완고한
10	체계적인	낙관적인	의지가 강한	친절한
11	엄격한	겸손한	상냥한	말주변이 좋은
12	호의적인	빈틈없는	놀기 좋아하는	의지가 강한
13	참신한	모험적인	절제된	신중한
14	참는	성실한	공격적인	매력 있는
15	열정적인	분석적인	동정심이 많은	단호한
16	지도력 있는	충동적인	느린	비판적인
17	일관성 있는	영향력 있는	생기 있는	느긋한
18	유력한	친절	독립적	정돈
19	이상주의적	평판이 좋은	쾌활	솔직
20	참을성 없는	진지한	미루는	감성적인
21	경쟁심이 있는	자발적인	충성스러운	사려 깊은
22	희생적인	이해심 많은	설득력 있는	용기 있는
23	의존적인	변덕스러운	절제력 있는	밀어붙이는
24	포용력 있는	전통적인	사람을 부추기는	이끌어 가는

앞 검사지에서'O'표시한 부분의 위에 해당되는 'A, B,C,D'를 살펴보면서 아래 표에 각 번호에 해당되는 알파벳에 'O'표시 하기
예를 들어 1번의 '절제'에 'O'표시를 하였으면 아래 표 1번에 'A'에 'O'표시 하면 된다.

1	B	D	A	C
2	A	C	D	B
3	C	B	A	D
4	A	D	C	B
5	D	B	C	A
6	B	A	D	C
7	C	D	B	A
8	B	A	D	C
9	D	A	C	B
10	C	B	D	A
11	A	D	C	B
12	D	C	A	B
13	B	A	D	C
14	C	D	B	A
15	D	A	C	B
16	A	B	C	D
17	B	C	D	A
18	C	A	B	D
19	D	B	C	A
20	A	D	C	B
21	A	B	C	D
22	D	C	B	A
23	D	B	A	C
24	D	C	A	B
합	( )개	( )개	( )개	( )개
	D	I	S	C

각 유형의 합계가 높을수록 그 유형의 성격을 주로 사용한다고 해석할 수 있다. 아래 모형을 활용해서 본인의 성격 유형을 점검하기 바란다.

'DISC 검사'는 과업 위주의 성격과 사람 위주의 성격으로 나누고, 내향형과 외향형으로 나누어 4가지의 성격을 설명한다. 4가지 성격의 각 유형은 장점과 약점이 있다. '표 2-2'에서 소개하는 장점, 약점은 그 선호 점수가 아주 높은 사람에 대한 해석으로 본인이 점수가 어느 정도인지 살펴보며, 본인의 선호 유형을 위주로 성격의 특징을 파악하고 그것을 토대로 진로 실정에 참고하길 바란다.

표 2-2. DISC 검사 해석

	강점	약점
주도형	빠르게 성과를 낸다. 의사결정이 빠르다. 포기를 잘 하지 않는다. 어려운 문제를 처리한다. 도전하는 것을 즐긴다. 책임지는 일을 자발적으로 한다. 지도력을 발휘한다. 자신감이 높다.	결과가 늦어지면 조급해진다. 사람에 대해 관심이 적다. 위험, 경고 등의 상황을 간과한다. 융통성이 적고, 고집이 있다. 지나치게 많은 일을 한꺼번에 한다. 세부사항에 얽매이는 것이 싫다. 제한 받는 것을 힘들어 한다. 다른 사람에게 많은 것을 요구한다.
사교형	사람들과 잘 만난다. 호의적인 인상을 준다. 말솜씨가 좋아 표현을 잘 한다. 사람에게 동기유발을 시킨다. 열정적이다. 사람, 상황에 대해 낙관적이다. 사람을 잘 설득시킨다. 사람을 잘 사귀고 즐겁게 해준다.	끝마무리가 부족, 빨리 싫증이 난다. 말이 너무 많은 편이다. 충동적으로 행동한다. 결론을 급하게 내리는 편이다. 약속을 무리하게 잡는다. 교묘한 말로 설득한다. 능력에 대해 과대하게 평가한다. 결과에 대해 지나치게 낙관적이다.
안정형	일관성 있게 일을 수행한다. 다른 사람을 잘 돕고 협조적이다. 충성스럽다. 다른 사람의 의견을 잘 듣는다. 꾸준하며 참을성이 있다. 흥분한 사람을 진정시킨다. 조화로운 업무 분위기를 만든다. 대인 관계가 원만하다.	급격한 변화를 힘들어 한다. 지나치게 관대하다. 일을 미룬다. 결정을 잘 못한다. 갈등을 피한다. 감정을 잘 표현하지 않는다. 시켜야 하는 편이다. 정해진 기간에 일 마치기가 어렵다.
신중형	정리 정돈을 잘 한다. 중요한 지시, 기준을 잘 살핀다. 분석적으로 생각한다. 외교적 수완이 있다. 세부사항에 신경을 쓴다. 정확하고 철저하다. 자기관리, 자기훈련을 잘 한다. 높은 기준을 품고 행동한다.	지나치게 조심스럽다. 일하는 방법에 융통성이 부족하다. 비판적으로 생각한다. 자발성이 약하다. 의심이 많다. 세부적인 상황에 얽매인다. 비판에 예민하다. 비관적이다.

② Enneagram 검사

에니어그램(Enneagram)은 성격을 9가지 유형으로 성격을 나누어서 분류하는 성격유형의 지표이자 인간 이해의 틀이다. 개인의 주요 특성과 성장 가능성, 그리고 스트레스 상태를 이해하고자 할 때 사용된다. 에니어그램검사는 온라인 상에서 검사할 수 있는 도구가 많기 때문에 본 책에서는 간이식으로 검사를 할 수 있도록 안내를 해 두었으니 가볍게 검사를 해보길 바란다.

http://www.enneagram-app.appspot.com/quest/

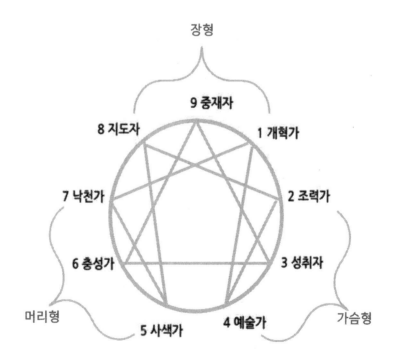

이 검사는 간이식으로 하는 검사이다. 좀 더 세밀한 검사를 위해서는 정통적인 검사지를 구매하여 사용하기 바란다.

이 검사를 할 때 본인의 성향을 잘 파악하고 이상적인 점수가 아닌, 편한하고 자연스럽게 하는 성향을 점수로 표현하라.

각 내용 부분을 잘 읽고 본인에게 해당이 되는 점수를 작성하라.

1점=전혀 그렇지 않다 / 2점=대체로 그렇지 않다 / 3점=보통이다 / 4점=대체로 그렇다 / 5점=매우 그렇다

1번 유형의 내용	점수
나는 올바르게 살려고 최선을 다한다.	
어릴 때 나는 모범적인 어린이가 되려고 애썼다.	
일을 하다 보면 화를 안 내려고 애쓰지만 한번 마음먹으면 표현한다.	
무엇이 잘못되었는지 알기 때문에 종종 비판적인 입장이 된다.	
나 자신이나 주변의 불안전함을 고치려고 남 모르게 애쓴다.	
강박적으로 시간과 약속을 정확히 지키려고 애쓴다.	
잘못 하고 나서 사과하지 않는 사람을 끝까지 잊지 않는 편이다.	
1번 유형의 총 합계	

2번 유형의 내용	점수
나는 따뜻하고 다정하며 부드러운 목소리를 가지고 있다.	
나도 모르게 다른 사람을 도와주려는 마음이 앞서는 때가 있다.	
어릴 때 나는 사랑 받는 아이, 인기 있는 친구가 되려고 애썼다.	
일을 하다 보면 내 입장보다는 다른 사람 입장을 먼저 신경 써 주고 있다.	
차가운 분위기를 따뜻하게 하려고 남 모르게 애쓴다.	
내 것을 강하게 주장하거나 내 불편한 속마음을 표현하는 것이 불편하다.	
다른 사람을 도와주는 것이 편하지 도움을 받는 입장이 어색하다.	
2번 유형의 총 합계	

3번 유형의 내용	점수
나는 많이 성취되길 바라면 바쁘게 산다.	
나에게는 추진력과 성취감을 느끼려는 강한 에너지가 있다.	
어릴 때 나는 주변의 부러움과 칭찬을 받는 아이였다.	
어떻게 하면 일이 잘 진행될 지 금방 안다.	
나 자신이나 주변의 잠재 가능성을 알고 그것을 살려주려고 애쓴다.	
다른 사람들에게 일 잘하는 사람으로 평가받고 있다.	
어떤 실패도성공의 과정이라 생각하고 긍정적으로 여긴다.	
3번 유형의 총 합계	

4번 유형의 내용	점수
평범한 현실보다는 가거나 미래를 더 생생하게 느끼는 편이다.	
나 자신이나 주변의 평범함을 벗어나 색다른 것을 찾고 만든다.	
어릴 때 나는 상상력이 풍부하고 예쁜 것을 좋아하는 아이였다.	
무엇을 더 아름답게, 독특하게, 남다르게 할 수 있는지 안다.	
나는 감성이 여리지만 내 고유성을 짓밟힐 때는 강하게 반항한다.	
나의 개성을 살리고 다른 사람의 개성도 살려주는 아름다운 경험을 하고 싶다.	
인생의 외로움과 슬픔을 깊이 인식하고 있다.	
4번 유형의 총 합계	

5번 유형의 내용	점수
남이 모르는 것을 발견하고 살피려는 지적 호기심이 강하다.	
나만의 시간을 즐기기 위해 사라질 때가 있다.	
행동하기 전에 남모르게 그룹의 언저리에서 상황을 지켜볼 때가 있다.	
회의에서 쓸데없이 큰소리로 주절거리는 사람을 견디기 힘들다.	
나는 많은 정보와 지식을 가진 현명한 사람을 꿈 꾼다.	
사람들이 나를 건드리지 않고 사생활을 존중하여 내버려 두면 좋겠다.	
지나치게 주목받거나 사람들의 눈이 내게 쏠리는 것이 편치 않다.	
5번 유형의 총 합계	

6번 유형의 내용	점수
나는 겁이 많은 편이고 평상시에도 최악의 상황을 대비하고 준비하는 편이다.	
위험한 1인자 보다는 충실하고 신뢰할 수 있는 2인자가 되고 싶다.	
어릴 때 선생님 말을 꼭 지키려고 하고 내 편을 들어줄 친구를 찾는 아이였다.	
사람들 앞에 나서기 보다 조용히 내 의무를 다하여 충실한 사람이 되려 한다.	
겁이 많지만 위험한 일이 닥치면 의외로 대범한 면이 있다.	
권력에 억눌린 사람들에게 남 몰래 그 편을 들어줄 때가 있다.	
내 편이 누구인가? 누구를 믿을 수 있는지 살핀다.	
6번 유형의 총 합계	

7번 유형의 내용	점수
나는 즐겁고 쾌활하게 주변을 밝게 만들려고 한다.	
심각한 인생보다 즐겁고 신나는 모험이 가득한 삶을 좋아한다.	
어릴 때 친구가 많고 한자리에 앉아있기 보다는 많이 돌아다니는 아이였다.	
나는 명랑하고 잘 웃으며 심각한 면이 없는 편이다.	
내가 원하는 것은 대부분 행동하여 가지는 편이다.	
사람들을 즐겁게 하기 위해 앞장서서 나를 바칠 때가 있다.	
나로 인해 웃음이 가득해지는 세상을 꿈꾼다.	
7번 유형의 총 합계	

8번 유형의 내용	점수
나 자신을 위해서, 대의를 위해서 싸우는 것을 겁내지 않는다.	
쉽게 따분해 하며 크게 움직이는 편이고, 흥분과 자극을 좋아한다.	
어릴 때 목소리가 크고 잘 싸우는 아이였다.	
뒤끝 없이 단순하게 단도직입적으로 말하는 면이 있다.	
새로운 조직에 들어가면 어디에 힘과 권력이 있는지와약점을 쉽게 파악한다.	
나는 당당하고 힘 있게 자신을 지켜 나가는 사람을 존중한다.	
주변과 사람들에게 맞추기 보다는 내 식대로 추진할 때가 더 편하다.	
8번 유형의 총 합계	

9번 유형의 내용	점수
나는 평온하고 무난하게, 느긋하게 자연친화적으로 살고 싶다.	
단호하게 내가 결정하기보다 주변 사람들 의견에 따라가는 면이 있다.	
어릴 때 나는 온순하고 눈에 잘 띄지 않는 아이였다.	
나는 일을 미루어 한꺼번에 해치우려는 궁리를 한다.	
쓸데없이 싸우는 것을 싫어하며 둥글게 어울려 평화롭게 살고 있다.	
평온하고 무난하고 순하지만 한번 화내면 무서운 면이 있다.	
종종 말과 행동에 굼뜰 때가 있다.	
9번 유형의 총 합계	

아래 칸에 합산한 점수를 적고 원에 해당점수에 점으로 표시해보자.

1번 유형	2번 유형	3번 유형	4번 유형	5번 유형	6번 유형	7번 유형	8번 유형	9번 유형

에니어그램의 9가지 기본 유형은 아래와 같이 설명할 수 있다.

유형구분		설 명
장형	1번 유형 개혁가	= 완전무결형 / 노력과 개혁의 대가 / 완벽해야 한다. 이상적이고 완벽한 것을 추구하며, 자기 통제와 규율을 중요시한다. 노력을 중시하는 사람이다. 완벽을 추구하고 어떤 상황에서도 정답을 생각한다. 성실하며 책임감이 강하다.
가슴형	2번 유형 조력가	= 다정다감형 / 친절과 교류의 대가 / 필요한 사람이 되어야 한다. 다른 사람에게 도움을 주고 사랑과 관심을 얻기 위해 노력하는 경향이 있다. 타인을 만족시키기 위해서 사람들의 마음에 들도록 자신을 연출하기도 한다.
가슴형	3번 유형 성취자	= 성공지향형 / 효율과 인맥의 대가 / 성공해야 한다. 성과와 성공을 추구하며, 인정받고 경쟁에서 승리하기를 원한다. 공부나 일을 할 때 생산성을 높이고 계획을 성취한다. 자신을 잘 받아들이고 반듯해서 다른 사람들을 고무시키는 역할을 한다.
가슴형	4번 유형 예술가	= 갱성낭만형/ 감성과 표현의 대가 / 특별해야 한다. 독특하고 창의적인 것을 추구하며, 자신의 감정과 정체성에 중점을 둔다. 영감이 뛰어나서 창조적이며 자신을 새롭게 만들어 나간다. 풍부한 감성을 지녔으나 감정 기복이 약간 심하다.
머리형	5번 유형 사색가	= 박학다식형 / 전략전술의 대가 / 알아야 한다. 지식과 정보를 중시하며, 독립적이고 내성적인 경향이 있다. 논리적, 이성적, 통찰력, 분석력, 현명함을 지녔다. 피상적 정보들을 가지고 핵심 원리를 꿰 꿇는다. 자신의 감정과 적절히 거리를 두고 냉정하게 사고한다.
머리형	6번 유형 충성가	= 유비무환형 / 확인과 준비의 대가 / 안전하고 확실해야 한다. 안전과 안정성을 추구하며, 타인이나 조직에 의지하는 경향이 있다. 자신에게 맡겨진 사명과 타인에 대한 책임을 위해 자기희생을 한다. 힘 없는 사람을 용기 있게 도와준다.
머리형	7번 유형 낙천가	= 재기발랄형/ 모험과 속도의 대가 / 고통을 피해야 한다. 새로운 경험과 즐거움을 추구하며, 어려움을 피하려는 경향이 있다. 열정적이고 다재다능해서많은 사람들에게 인기가 있다. 성취동기가 높고 목표에 집중하며 많은 계획을 가지고 있다.
장형	8번 유형 지도자	= 속전속결형 / 도전과 추진의 대가 / 맞서야한다. 도전과 권력을 중시하며, 자신의 목표를 위해 힘을 발휘하는 경향이 있다. 타인의 삶을 개선하는데 자신의 힘을 사용한다. 영웅적이고 도량이 없어 역사적으로 위대한 업적을 남기기도 한다. 좀처럼 기가 꺾이지 않고, 리더십이 강해서 팀원을 잘 이끌어 나간다.
장형	9번 유형 중재자	= 외유내강형 / 조화와 화합의 대가 / 회피해야 한다. 평화로운 환경과 조화를 중요시하며, 갈등을 피하려는 경향이 있다. 수용적이고 이해하려고 하지만 자신의 고집은 있다.

에니어그램 검사는 크게 3유형으로도 구분을 한다. 3가지 유형에 대해 살펴보자.

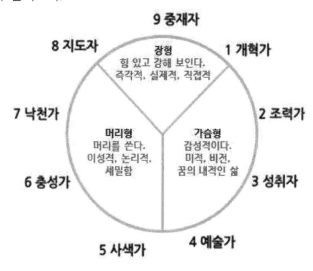

유형 구분	설 명
장형 행동파	자신의 존재 자체를 신체적인 힘으로 드러내고자 한다. 현재에 관심이 많아 미래에 100만원 보다 현재 내 손에 1만원을 더 중요하게 생각한다. 지배 욕구가 있어서 자신의 영역에서 통제가 되지 않는 사람이나 상황을 만나면 화가 치밀어 오른다. 한번에 몰아쳐서 일을 하고 쉴 때는 확실하게 쉬려고 한다.
가슴형 감성파	타인과의 관계를 중요하게 생각하여 사교적이고 인간관계의 달인이다. 다른 사람이 본인을 어떻게 생각할지에 관심이 많다. 타인에게 인정 받지 못하면 수치심을 느낀다. 일을 할 때 마음 맞는 사람과 일을 하면 열정적이며 성과를 잘 낸다.
머리형 이성파	항상 상황이 어떻게 돌아가는지를 파악하고 이성적으로 대응하려 한다. 안정과 인정에 대한 욕구가 있어서 불안과 초조함을 잘 느낀다. 과거, 현재보다는 미래에 관심이 많다. 자신의 체력을 넘어서는 일을 하면 힘들어하고 휴식을 원한다.

(2) 적성검사

적성은 직업 선택에 아주 중요한 요인이다. 적성은 교육, 훈련의 영향보다는 잠재적 능력 요인이 더 많은 영향을 준다. 그래서 적성 검사는 적합한 직업을 찾아내는 데 시간과 노력을 절약해 준다. 적성검사를 통해 개인의 특성을 정확하게 파악하면, 이러한 어려움을 극복하고 적합한 직업을 빠르게 찾을 수 있습니다. 적합한 직업을 선택함으로써 직업 만족도를 높이고, 성과를 향상시킬 수 있다. 적성과 일치하는 직업에서 일할 경우, 업무에 대한 열정과 흥미가 높아져 업무 수행 능력과 효율성이 향상될 것이며 직업에서의 성공을 이끌어내고, 개인의 경력과 발전에 긍정적인 영향을 미칠 것이다.

적성 검사는 워크넷 (https://www.work.go.kr)에서 '중학생 적성 검사', '고등학생 적성검사', '성인용 직업적성검사 ' 에서 무료로 검사가 가능하다. 검사 후 해석도 꼼꼼하게 나와 있으니 참고하길 바란다.
본 책에서는 워크넷에서 검사한 결과를 바탕으로 반드시 챙겨서 보아야 할 부분에 대해 설명하겠다.

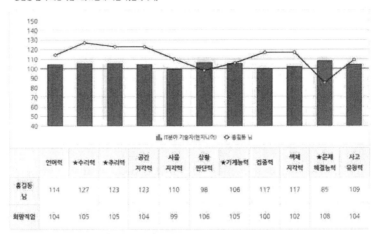

• 홍길동 님의 희망직업 : 2. IT분야 기술자(엔지니어)

	언어력	★수리력	★추리력	공간 지각력	사물 지각력	상황 판단력	★기계능력	집중력	색채 지각력	★문제 해결능력	사고 유창력
홍길동 님	114	127	123	123	110	98	106	117	117	85	109
희망직업	104	105	105	104	99	106	105	100	102	108	104

출처 : 워크넷성인용 직업적성검사 예시보기
https://www.work.go.kr/consltJobCarpa/jobPsyExam/aduAptNewDetail.do?tabIdx=example

'그림 2-1'처럼 희망직업에 대한 그래프나 검사결과를 기준으로 제공되는 추천직업의 막대 그래프와 본인의 직업적성검사인 선 그래프를 비교해보자. 나의 적성 그래프가 높은 것은 괜찮지만, 희망직업이나 추천직업에서 요구하는 적성보다 나의 선 그래프 결과가 낮다면 이 부분을 어떻게 높일 것인지, 아니면 이 직업을 포기할 것인지를 고려해 보아야 한다. 특히 ★표 되어 있는 적성요인은 그 직업에서 중요하게 보는 능력이기 때문에 본인의 능력이 요구하는 능력보다 낮다면 대학생활 동안 그 능력을 키울 수 있는 계획을 반드시 세워야 한다.

'활동지 2-1'에 검사 결과를 해석하여 정리해보고, 대학생활 중 어떻게 해서 낮은 적은 요인을 높일 것인지 계획해서 작성해보자.

적성 검사 결과 해석

낮은 적성 요인을 높일 수 있는 계획

(3) 가치관 검사

가치관은 삶에 대해 어떤 기준을 가지고 살아가는지를 말하는 것으로, 삶에 대해 가진 개인적 관점이라 할 수 있다. 가치관은 개인적 가치관과 사회적 가치관으로 크게 나눌 우 있다. 사회적 가치관은 사회 문화적으로 지니게 된 가치관으로 오랫동안 이루어진 약속이라 할 수 있다. 개인적 가치관은 개인의 선호 의지에 따라 다르며 살아온 상황에 따라 변화되기도 한다.

가치관 검사는 개인의 핵심 가치와 신념을 파악하여, 그에 따라 직업을 선택하고 삶을 설계하는 데 도움을 주는 도구이다. 이는 직업 선택에서 중요한 역할을 한다.

가치관 검사가 진로를 결정하는 데 중요한 이유를 좀 더 구체적으로 살펴보자.

①가치관 검사는 개인의 핵심 가치를 명확히 이해하는 데 도움을 준다. 각 인간은 다양한 가치를 가지고 있으며, 이러한 가치는 개인이 중요하게 여기는 것들을 나타낸다. 가치들을 정확히 파악함으로써 개인은 자신이 중요하게 여기는 가치에 기반하여 직업을 선택할 수 있다.

② 가치관 검사는 직업이나 조직의 문화와의 일치를 확인하는 데 도움을 준다. 개인의 가치와 선택한 직업 또는 조직의 가치가 일치할 경우, 개인은직무에 만족하고 보다 긍정적인 업무 환경에서 성과를 거둘 가능성이 높아지지만, 가치의 불일치가 크다면 업무 스트레스와 불만족이 증가할 수 있습니다.

③ 가치관 검사는 직업 만족도를 높이는 데 도움을 준다. 직업이 개인의 가치와 일치할 경우, 업무에 대한 책임감과 자부심이 높아져 업무 수행에 대한 만족도가 높아져 장기적으로 직업에서 성과를 높일 수 있다.

④가치관 검사는 직업 변화나 전문적 성장을 고려할 때 유용하다. 가치관은 시간이 지남에 따라 변할 수 있으며, 이는 개인이

새로운 직업이나 분야를 탐험하고 자신의 가치에 맞는 방향으로
성장하기 위해 중요한 정보가 될 수 있다.

적성 검사는 워크넷(https://www.work.go.kr)에서 '직업 가치관
검사 '에서 무료로 검사가 가능하다. 검사 후 해석도 꼼꼼하게
나와 있으니 참고하길 바란다.
본 책에서는 워크넷에서 검사한 결과를 바탕으로 반드시 챙겨서
보아야 할 부분에 대해 설명하겠다.

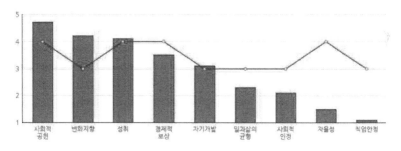

출처 : 워크넷직업가치관검사예시보기
https://www.work.go.kr/consltJobCarpa/jobPsyExamNew/adltOccpOsvDetail.do?tabldx=exa
mple

'그림 2-2'처럼 희망직업에 대한 그래프와 본인의 가치관 검사인
선 그래프를 비교해보자. 막대 그래프와 선 그래프의 차이가 많이
난다면 그 가치요인을 포기할 것인지, 그 직업을 포기할 것인지
생각해보아야 한다. 예를 들어 '그림 2-2'에서 가치요인 중
'자율성'을 보면 검사자는 '자율성 '에 대한 요구는 아주 높은 데
희망직업의 '자율성 '은 아주 낮다. 그러면 자율성이 본인의

기대치보다 낮은 이 직업에 대해 선택과 포기를 두고 신중하게
고민해야 한다.
이제 '활동지 2-2'에 검사 결과를 해석하여 정리하며 진로를
점검해보자.

활동지 2-2
가치관 검사 결과 해석

03.
기업과 직무 분석

1. 기업 분석

기업은 상품이나 서비스를 제공하며, 이를 통해 수익을 창출하는 조직이다. 기업은 소기업부터 대기업까지 다양한 규모와 형태가 있으며, 대부분의 기업은 이윤을 추구하면서 경쟁력을 유지하고 성장하려고 노력한다. 기업에 대해 좀더 세부적으로 알아보자.

● 유형 : 기업은 사기업과 공기업으로 나뉜다. 사기업은 이윤 추구를 목적으로 하는 기업이며, 공기업은 이윤보다는 사회적 목적을 더 중시하는 기업이다.

● 목적 : 기업은 제품이나 서비스를 만들어 소비자에게 제공함으로써 수익을 창출한다. 수익을 통해 비용을 지불하고, 남은 부분은 투자와 성장을 위해 사용된다.

● 조직 구조 : 기업은 다양한 부서로 구성되어 있으며, 각 부서는 특정한 역할과 책임을 담당한다. 대표적인 부서로는 생산, 마케팅, 금융, 인사 등이 있다.

(1) 사기업

사기업을 크기로 분류해보면 대기업, 중견기업, 중소기업으로 크게 분류할 수 있다. 어떤 기준으로 분류되는지 '표3-1'을 참고하라.

기업 구분	기준 조건
표 3-1	
대기업	자산 규모 10조 이상으로 공정거래위원회에서 지정한 상호출자제한 기업 집단 금융 및 보험, 보험 서비스업을 하며 중소기업기본법이 규정하는 중소기업보다 규모가 큰 기업 전체 기업 중 0.1%가 속함
중견 기업	자산 규모가 5천억 이상 10조원 미만인 기업 금융 및 보험, 보험 서비스업 제외 공정거래법상 상호출자제한 기업군에 속하지 않는 기업 전체 기업 중 0.12%가 속함
중소 기업	3년 평균 매출액이 1,500억 미만이며 자산 5,000억 이하인 기업 종업원 5명 이하인 영세기업을 제외 업종별로 기준이 다름 전체 기업 중 99.8%가 속함

'표3-2'는 대한민국 사기업을 크게 5개로 분류하여 대표적인 기업명을 예시로 보여주는 것이다. 이 내용은 2023년 기준이며 기업은 더 성장할 수도 있고, 축소나 폐업이 될 수도 있으며, 인수합병이 되는 등 변화 무쌍하기 때문에 어떻게 구분하는지 참고로 살펴보길 바란다.

표 3-1

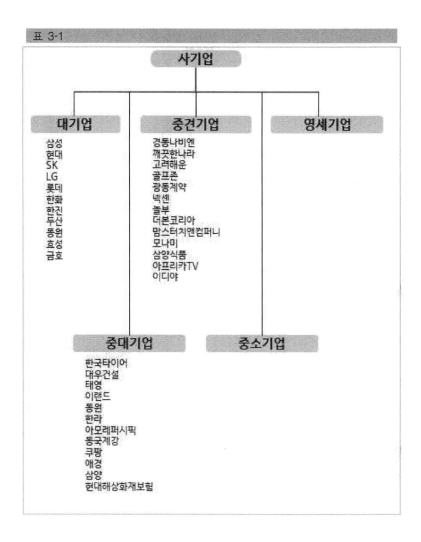

(2) 공공기관

공공기관은 공적인 목적으로 정부 관련 단체나 기관에서 설립된 기업이다. '공공기관이란 정부의 투자, 출자 또는 정부의 재정지원 등으로 설립, 운영되는 기관으로서 일정 요건에 해당하여 기획재정부장관이 매년 지정한 기관을 의미한다.'라고 공공기관의 운영에 관한 법률 제4조에 명시되어 있다. 공공기관은 크게 공기업, 준정부기관, 기타 공공기관으로 구분이 된다.

기업구분	기준 조건
공기업	직원 정원이 300명 이상 총수입액 200억원 이상 자산규모 30억원 이상 총 수입액 중 자체 수입액이 50%(기금관리기관은 85%) 이상인 공공기관 ● 시장형 공기업 : 자산규모 2조 이상 　　　　　　　　총 수입액 중 자체 수입액이 85% 이상인 공기업 　　　　　　　　한국전력공사, 한국가스공사 등 ● 준시장형 공기업 : 시장형 공기업이 아닌 공기업 　　　　　　　　한국조폐공사, 한국방송광고진흥공사등
준정부 기관	직원 정원이 300명 이상 총수입액 200억원 이상 자산규모 30억원 이상 총 수입액 중 자체 수입액이 50%(기금관리기관은 85%) 미만인 공공기관 ● 기금관리형 준정부기관 : 국가재정법에 따라 기금을 관리하거나, 기금의 관리를 위탁 받은 준정부기관 (국민체육진흥공단, 근로복지공단 등) ● 위탁집행형 준정부기관 : 기금관리형 준정부기관이 아닌 준정부기관 (한국국제 협력단, 한국장학재단 등)
기타 공공기관	공기업, 준정부기관이 아닌 공공기관

출처 : 일리오(ALIO 공공기관 경영정보 공개시스템)
https://www.alio.go.kr/guide/publicAgencyStatus.do

'표3-4'는 대한민국 공공기관을 크게 3개로 분류하여 대표적인 기업명을 예시로 보여주는 것이다. 이 내용은 2023년 기준이며 공공기관 또한 사기업처럼 변화 무쌍하기 때문에 어떻게 구분하는지 참고로 살펴보길 바란다.

이 외에도 벤처기업, 외국계 기업, 비영리단체, 협회, 재단 등의 기업도 있다. 이렇게 많은 기업들이 우리 사회에 존재하고 있다는 것만 알아보아도 취업을 준비할 때 많은 도움이 될 것이다. 이상으로 알려준 기업을 분석하는 방법을 토대로 관심을 둘만한

기업을 꼼꼼하게 찾아서 '활동지 3-1'에 정리하는 시간을 가져
보길 바란다. 기업을 분석할 때 'DART, NICE기업정보'를
활용하면 많은 정보들을 얻을 수 있으니 활용하기 바란다.

"성공은 최선을 다해 노력한 결과이다."
-콜린 파월-

활동지 3-1

	1	2	3	4
기업명				
기업 형태				
창업자				
대표자				
직원 인원				
주요 제품 서비스				
주요 이슈				
재무 상태				
기타				

	5	6	7	8
기업명				
기업 형태				
창업자				
대표자				
직원 인원				
주요 제품 서비스				
주요 이슈				
재무 상태				
기타				

	9	10	11	12
기업명				
기업 형태				
창업자				
대표자				
직원 인원				
주요 제품 서비스				
주요 이슈				
재무 상태				
기타				

2. 직무 분석

직무는 기업이 경영을 잘 하기 위해 필요한 업무를 단위별로 구분한 것을 말한다. 각 직무별로 어떤 일을 하는지 잘 이해한다면 진로 결정에도 도움이 되고, 그 일을 할 때에도 잘 적응할 수 있다. 직무를 잘 이해하면 어떤 도움이 되는지를 살펴보자.

- 진로 선택과 취업의 방향성 제시 : 직무를 이해함으로써 학생들은 자신의 흥미와 능력에 기반하여 어떤 분야에서 일을 하고 싶은지방향성을 찾을 수 있다. 이는 전공 선택이나 취업 준비에 큰 도움이 된다.
- 종합적인 진로 계획 수립 : 직무 이해는 학생들이 졸업 후 어떤 분야에서 일을 할 것인지에 대한 종합적인 계획 수립에 도움을 준다. 어떤 직무를 향해 나아가야 하는지 미리 알고 있으면 졸업 후의 경로를 더 명확하게 설정할 수 있다.
- 자기분석과 능력 강화 : 직무 이해는 학생들이 자신의 강점과 관심사를 파악하고, 그에 따라 필요한 능력을 강화할 수 있는 기회를 제공한다. 이는 미래 직무에서 높은 성과를 이뤄내는 데에 도움이 된다.
- 취업 시장의 동향 이해 : 각 직무의 성격과 요구사항을 이해하면, 취업 시장의 동향을 더 정확하게 파악할 수 있다. 어떤 직무가 미래에 성장성이 높은지, 어떤 기술이 중요한지 등을

고려하여 적절한 대비책을 세울 수 있다.

● 자기 마케팅 및 취업 경쟁력 강화 : 취업 시장에서 경쟁이 치열한 상황에서는 자기를 효과적으로 마케팅하는것이 중요하다. 직무 이해를 통해 어떤 역량을 갖춰야 하는지 파악하고, 적절한 교육과 경험을 쌓아 경쟁력을 강화할 수 있다.

● 좀 더 만족스러운 직업 생활을 위한 기반 마련 : 직무를 이해하면 나중에 선택한 직업에서 더욱 만족스러운 경험을 쌓을 수 있다. 자신에게 맞는 직무를 찾고 그에 따라 일할 경우, 업무에 대한 책임감과 흥미가 높아져 직업 생활의 질이 향상될 수 있다.

직무를 구분한다는 것은 어려운 일이다. 직무는 계속 새롭게 생겨나고, 사라지고 있기 때문이며, 또 융합되고 세분화되고 있기 때문에 구분을 하기가 힘들다. 그리고 각 기업마다 지닌 직무의 성격도 다르기 때문에 정확하게 규명하기도 힘들다. 그래서 직무분석은 각 기업의 직무를 분석하는 것이 정확하다.

2. 직무 분석

직무는 기업이 경영을 잘 하기 위해 필요한 업무를 단위별로 구분한 것을 말한다. 각 직무별로 어떤 일을 하는지 잘 이해한다면 진로 결정에도 도움이 되고, 그 일을 할 때에도 잘 적응할 수 있다. 직무를 잘 이해하면 어떤 도움이 되는지를 살펴보자.

- 진로 선택과 취업의 방향성 제시 : 직무를 이해함으로써 학생들은 자신의 흥미와 능력에 기반하여 어떤 분야에서 일을 하고 싶은지방향성을 찾을 수 있다. 이는 전공 선택이나 취업 준비에 큰 도움이 된다.

- 종합적인 진로 계획 수립 : 직무 이해는 학생들이 졸업 후 어떤 분야에서 일을 할 것인지에 대한 종합적인 계획 수립에 도움을 준다. 어떤 직무를 향해 나아가야 하는지 미리 알고 있으면 졸업 후의 경로를 더 명확하게 설정할 수 있다.

- 자기분석과 능력 강화 : 직무 이해는 학생들이 자신의 강점과 관심사를 파악하고, 그에 따라 필요한 능력을 강화할 수 있는 기회를 제공한다. 이는 미래 직무에서 높은 성과를 이뤄내는 데에 도움이 된다.

- 취업 시장의 동향 이해 : 각 직무의 성격과 요구사항을 이해하면, 취업 시장의 동향을 더 정확하게 파악할 수 있다. 어떤 직무가 미래에 성장성이 높은지, 어떤 기술이 중요한지 등을 고려하여 적절한 대비책을 세울 수 있다.

- 자기 마케팅 및 취업 경쟁력 강화 : 취업 시장에서 경쟁이 치열한 상황에서는 자기를 효과적으로 마케팅하는것이 중요하다. 직무 이해를 통해 어떤 역량을 갖춰야 하는지 파악하고, 적절한 교육과 경험을 쌓아 경쟁력을 강화할 수 있다.

- 좀 더 만족스러운 직업 생활을 위한 기반 마련 : 직무를 이해하면 나중에 선택한 직업에서 더욱 만족스러운 경험을 쌓을 수 있다. 자신에게 맞는 직무를 찾고 그에 따라 일할 경우,

업무에 대한 책임감과 흥미가 높아져 직업 생활의 질이 향상될 수 있다.

직무를 구분한다는 것은 어려운 일이다. 직무는 계속 새롭게 생겨나고, 사라지고 있기 때문이며, 또 융합되고 세분화되고 있기 때문에 구분을 하기가 힘들다. 그리고 각 기업마다 지닌 직무의 성격도 다르기 때문에 정확하게 규명하기도 힘들다. 그래서 직무분석은 각 기업의 직무를 분석하는 것이 정확하다.
세부적인 직무 분석을 할 수 없기에 본 책에서는 대표적인 10가지의 직무를 소개하고자 한다. 이 또한 크게 정리한 것이기 때문에 진로설정에 참조하기 바란다.

① 경영 및 전략 : 기업의 방향성과 비전을 제시하고 전략적인 의사결정을 하는 일. CEO, 전략 기획자, 경영 컨설턴트 등
② 마케팅 및 광고 : 제품 또는 서비스를 홍보하고 소비자에게 전달하는 일. 디지털 마케터, 브랜드 매니저, 광고 기획자 등
③ 프로젝트 관리 및 운영 : 프로젝트나 업무를 계획하고 조직 내에서 효율적으로 운영하는 일. 프로젝트 매니저, 운영 담당자, 생산 관리자 등
④ 인사 및 조직 발전 : 인력 관리, 팀 빌딩, 조직 문화 개선을 담당하는 일. 인사 담당자, 조직 발전 매니저, 교육 전문가 등
⑤ 금융 및 회계 : 회계 기록, 재무 분석, 투자 등 금융과 관련된 업무 수행. 회계사, 재무 담당자, 투자 은행가 등

⑥ 기술 개발 및 엔지니어링 : 새로운 기술이나 제품을 개발하고 구현하는 일. 소프트 웨어엔지니어, 하드웨어 엔지니어, 데이터 과학자 등

⑦ 의료 및 보건 관리 : 환자 진료, 건강 서비스 관리, 보건 정책 수립 등 의료와 관련된 업무 수행. 의사, 간호사, 의료 관리자, 보건정책 분석가 등

⑧ 교육 및 훈련 : 학생이나 직원을 가르치고 교육하는 일. 교사, 교육 컨설턴트, 교육 기획자 등

⑨ IT 및 디지털 미디어 : 정보 기술과 디지털 미디어에 관련된 업무 수행. 네트워크 엔지니어, 소프트웨어 개발자, 디지털 마케터 등

⑩ 예술 및 디자인 : 창의적인 작업을 통해 예술이나 디자인을 창조하는 일. 화가, 디자이너, 감독, 작곡가 등

이 외에도 너무나 방대한 직무들이 있으니 기업의 조직도를 살펴보면서 직무를 파악해보면 도움이 된다. 그렇게 알게 된 직무가 어떤 일을 하는지. 어떤 능력을 보유해야 하는지 등을 알고 싶다면 워크넷, 커리어넷, NCS, 회사 채용 홈페이지 등을 활용하여 알아볼 수 있다. 그렇게 탐색한 직무들을 '활동지 3-2'에 체계적으로 작성해 보자.

활동지 3-2

	1	2	3	4
직무명				
기업명 (다수가능)				
직무 설명				
필요 자격증				
우대 자격증				
필요 지식				
필요 기술				
필요 태도				
기타				

	5	6	7	8
직무명				
기업명 (다수가능)				
직무 설명				
필요 자격증				
우대 자격증				
필요 지식				
필요 기술				
필요 태도				
기타				

	9	10	11	12
직무명				
기업명 (다수가능)				
직무 설명				
필요 자격증				
우대 자격증				
필요 지식				
필요 기술				
필요 태도				
기타				

04.
취업 트렌드

1. 취업 트렌드 분석의 중요성

현 취업의 트렌드를 이해하면 취업을 위해 어떠한 도움이 되는지 살펴보자.

● 수요가 높은 직종을 파악하고, 해당 분야에 대한 경험과 지식을 쌓을 수 있다.

● IT 및 디지털 분야의 성장을 고려하여, 필요한 IT 관련 기술과 도구에 대한 이해도를 높일 수 있다.

● 그린 에너지 및 지속 가능한 산업 분야의 발전을 고려하여, 환경 보호와 관련된 경험과 지식을 쌓을 수 있다.

● 스타트업 생태계의 성장을 고려하여, 창업에 대한 이해와 스타트업 문화에 대한 경험을 쌓을 수 있다.

● 유연한 일자리 및 원격근무의 중요성을 고려하여, 원격근무와 유연한 일정 조정에 익숙해지게 된다.

● 인공지능 및 자동화 기술의 도입을 고려하여, 데이터 분석과 머신러닝 등에 대한 이해도를 높이게 된다.

● 글로벌 시장 진출과 해외 직장 경험의 중요성을 고려하여,

외국어 능력과 국제적인 역량을 강화할 수 있다.

- 다양성과 포용성을 강조하는 기업 문화를 고려하여, 다양한 배경과 경험을 존중하고, 대인관계 및 커뮤니케이션 능력을 개발할 수 있다.

- 경력 개발과 교육에 대한 관심 증가를 고려하여, 지속적인 학습과 발전을 추구하게 된다.

- 새로운 기술 분야의 등장을 고려하여, 혁신적인 마인드와 창의성을 발휘하여, 새로운 아이디어와 기술을 개발하게 된다.

이러한 명확한 방향을 알 수 있고, 하려는 동기를 부여하기 때문에 취업 트렌드 분석을 하여야 한다.

2. 현 한국의 취업 트렌드

(1) IT 및 디지털 분야의 성장

- 클라우드 컴퓨팅 : 클라우드 컴퓨팅은 기업과 개인 모두에게 많은 이점을 제공하고 있다. 높은 확장성, 유연성, 비용 절감 등으로 인해 많은 기업들이 클라우드 기술을 도입하고 있으며 퍼블릭, 프라이빗, 하이브리드 클라우드 등 다양한 클라우드 모델이 등장하면서 클라우드 컴퓨팅은 더욱 확대되고 있다.

- 빅데이터 및 데이터 분석 : 기업들은 수많은 데이터를 수집하고 분석하여 비즈니스 인텔리전스를 얻고자 한다. 빅데이터 및 데이터 분석 기술은 기업의 의사결정과 전략 수립에 중요한

역할을 하기 때문에 인공지능과 머신러닝기술의 발전이 더 빨라지고 더욱 정확하고 실 시간적인 데이터 분석이 가능해지고 있다.

• 인공지능과 자동화 : 인공지능 기술은 다양한 산업 분야에서 혁신을 가져오고 있다. 자연어 처리, 음성 인식, 이미지 인식 등의 기술은 인간 수준의 인지 능력을 갖추고 있으며, 자동화 기술은 반복적이고 규칙적인 작업을 자동화하여 생산성을 향상시키고 인간의 업무 부담을 줄일 수 있다.

• 사이버 보안 : 디지털 시대에서 사이버 보안은 매우 중요하다. 더 많은 기업들이 사이버 공격으로부터의 보호와 데이터의 기밀성을 유지하기 위해 사이버 보안에 투자하고 있다. 보안 기술의 발전과 함께 사이버 공격도 더욱 고도화되고 있어, 사이버 보안 전문가의 수요가 계속해서 증가하고 있다.

(2) 그린 에너지 및 지속 가능한 산업 분야의 발전

• 재생 에너지 : 재생 에너지는 태양, 풍력, 수력, 지열, 바이오매스 등의 자연 에너지원을 이용하여 발전하는 에너지이다. 환경 친화적이고 에너지 안정성이 높아 지속 가능한 에너지 공급을 위한 핵심 요소이다. 태양광 및 풍력 발전은 특히 기술 발전과 경제성 향상으로 인해 급격히 증가하고 있다.

• 전기 자동차 및 충전 인프라 : 전기 자동차는 화석 연료에 의존하지 않고 전기로 작동되는 차량으로, 대기 우염 및 온실 가스 배출량을 줄일 수 있다. 전기 자동차의 인기는 급증하고

있으며, 이에 따라 충전 인프라의 구축도 확대되고 있다.

- 스마트 그리드 : 스마트 그리드는 전력 네트워크에 정보 및 통신 기술을 통합하여 효율적이고 지능적인 전력 공급 시스템을 구축하는 것을 말한다. 에너지 효율성과 재생 에너지 통합에 기여하며, 전력 사용자의 에너지 관리와 부하 분산에도 도움을 준다.

- 에너지 저장 기술 : 에너지 저장 기술은 재생 에너지의 불규칙성을 극복하고 안정적인 에너지 공급을 할 수 있도록 돕는다. 배터리 기술, 수소 연료전지, 압축 공기 저장 등 다양한 에너지 저장 기술의 연구 및 개발이 활발히 이루어지고 있다.

- 친환경 건축 및 에너지 효율성 : 건축 분야에서는 친환경 건축물의 수요가 증가하고 있다. 지속 가능한 건축 재료와 에너지 효율적인 설계 원칙을 적용하여 건축물의 에너지 소비를 줄이고 친환경적인 공간을 조성한다.

- 순환 경제 및 재활용 : 순환 경제는 자원을 최대한 활용하고 폐기물을 최소화하기 위한 접근 방식이다. 재활용 및 재생 가능한 자원의 활용은 지속 가능한 산업 분야에서 핵심적인 역할을 한다.

- 기후변화 대응 : 기후변화로 인한 영향은 전 세계적으로 큰 관심사가 되었다. 그린 에너지 및 지속 가능한 산업 분야는 기후변화 대응에 핵심적인 역할을 수행하고 있으며, 온실 가스 감축 및 친환경 기술 개발에 주력하고 있다.

- 정책 및 규제 : 많은 국가와 기업이 그린 에너지 및 지속 가능한 산업을 지원하기 위해 정책 및 규제를 도입하고 있다. 재생 에너지 보조금, 탄소 배출 규제, 친환경 인증제도 등이 그

예이다.

(3) 스타트업 생태계의 성장

- 투자 활동 : 스타트업 생태계는 투자 활동이 활발하게 이루어지는 공간이다. 벤처 투자, 엔젤 투자, 시드투자 등 다양한 투자 형태로 스타트업에 자금이 투입되고 있다. 또한, 기업들이 스타트업을인 수하거나 합병하는 M&A 활동도 증가하고 있다.
- 기술 혁신 : 스타트업은 혁신적인 기술과 아이디어를 통해 새로운 시장을 개척하고 기존 산업을 변화시키는 역할을 한다. 인공지능, 빅데이터, 사물인터넷, 블록체인 등의 기술을 활용하여 다양한 분야에서 혁신적인 서비스와 제품을 개발하고 있다.
- 창업 생태계의 센터 : 스타트업은 창업 생태계의 중심지로서 다양한 지역에서 창업센터, 인큐베이터, 엑셀러레이터 등의 지원 체계가 구축되고 있다. 이러한 센터들은 스타트업에 대한 자금, 공간, 멘토링, 네트워킹 등의 지원을 제공하여 창업 활동을 지원하고 성장을 도모한다.
- 창업 문화와 커뮤니티 : 스타트업 생태계는 창업 문화와 커뮤니티의 형성을 촉진하고 있다. 창업자들은 서로 협력하고 지식을 공유하며, 스타트업 이벤트, 해커톤, 컨퍼런스 등의 행사를 통해 교류하고 소통한다. 이를 통해 창업자들은 서로 영감을 주고 받으며 성장할 수 있다.
- 글로벌 시장 진출 : 스타트업은 글로벌 시장에 진출하는 것을 목표로 하고 있다. 기술의 발전과 글로벌 네트워크의 형성을 통해

해외 시장에 진출하는 스타트업이 증가하고 있다. 또한, 스타트업과 기업 간의 협업을 통해 글로벌 시장에 진출하는 사례도 늘어나고 있다.

● 사회적 가치와 지속 가능성 : 많은 스타트업은 사회적 가치 창출과 지속 가능한 비즈니스 모델을 추구하고 있다. 사회 문제 해결을 위한 스타트업, 친환경 및 사회적 책임을 갖는 스타트업 등이 늘어나고 있으며, 이러한 동향은 스타트업 생태계의 성장과 발전에 긍정적인 영향을 미친다.

(4) 유연한 일자리 및 원격근무의 중요성

● 일자리 형태의 다양성 : 과거에는 정규직이 일반적인 일자리 형태였지만, 지금은 유연한 일자리 형태가 더욱 많아지고 있다. 일자리의 다양성은 일하는 방식, 근로시간, 계약 형태 등을 포함하여 일하는 사람들에게 더 많은 선택권을 제공하고 있다.

● 원격 근무의 증가 : 디지털 기술의 발전과 인터넷의 보급으로 인해 원격 근무가 더욱 흔해지고 있다. 특히, COVID-19 팬데믹 이후로 원격 근무는 더욱 중요한 역할을 맡고 있다. 원격 근무는 일자리에 대한 지리적 제한을 해소하고, 직장과 가정 생활의 균형을 유지하는 데 도움을 준다.

● 일-생활 균형의 중요성 : 유연한 일자리와 원격 근무는 일-생활 균형을 유지하는 데 큰 도움을 준다. 사람들은 일과 가정 생활, 취미, 건강 등 다양한 측면을 균형 있게 관리하고 싶어한다. 유연한 일자리와 원격 근무는 일과 개인 생활 사이의 충돌을

최소화하고, 개인의 욕구와 필요에 맞게 일할 수 있는 환경을
제공한다.

• 잠재력과 역량의 발휘 : 유연한 일자리와 원격 근무는 사람들의
잠재력과 역량을 최대한 발휘할 수 있는 기회를 제공한다.
사람들은 자신의 역량과 관심 분야에 따라 일할 수 있으며,
개인적인 성장과 발전을 이룰 수 있다. 이는 창의성과 혁신을
촉진하고, 조직의 성과를 향상시킬 수 있다.

• 지속 가능한 비즈니스 모델 : 유연한 일자리와 원격근무는
기업에게도 이점을 제공한다. 비용 절감, 재택 근무로 인한
교통량 감소, 잠재적인 인재풀 확장 등이 그 예이다. 또한, 다양한
지리적 위치에서 인재를 고용할 수 있으므로 인재 확보의 폭을
넓히고, 창의성과 혁신을 유도할 수 있다.

• 글로벌 업무 협업 : 원격 근무는 지역과 시간 제약을 극복하여
글로벌 업무 협업을 촉진한다. 팀원들이 지리적으로 떨어져
있더라도 온라인 협업 도구를 통해 의사 소통과 협업을 원활하게
할 수 있다. 이는 글로벌 비즈니스에 있어서 경쟁력을 향상시키는
요소가 된다.

(5) 인공지능 및 자동화 기술의 도입

• 생산성의 향상 : 인공지능과 자동화 기술은 반복적이고
일상적인 작업을 자동화하는 데에 큰 역할을 한다. 이러한 기술의
도입은 생산성을 향상시키고 인력의 비용을 절감할 수 있다.
기계가 인간의 작업을 보조하거나 대체함으로써 인간은 더

복잡하고 창의적인 작업에 집중할 수 있게 된다.

- 산업 변화 : 인공지능 및 자동화 기술의 도입은 산업 구조에 큰 변화를 가져왔다. 기계가 인간의 역할을 대체하거나 보조함으로써 산업의 생산 방식과 경영 방식이 변화하고 있다. 예를 들어, 제조업에서 로봇이 생산 과정을 자동화하고, 금융 분야에서 AI가 자동화된 금융 거래를 처리하는 등의 변화가 있었다.

- 업무 환경 변화 : 인공지능과 자동화 기술의 도입은 업무 환경을 변화시키고 있다. 예를 들어, 자동화된 챗봇이 고객 서비스를 대신하거나, 데이터 분석을 위한 AI 알고리즘이 업무에 활용되는 등의 변화가 있다. 이러한 변화는 업무의 효율성을 높이고 인력의 역할을 재조정할 수 있게 한다.

- 새로운 직업의 등장 : 인공지능 및 자동화 기술의 도입은 일부 직업의 사라짐을 야기할 수 있지만, 동시에 새로운 직업의 등장을 촉진하고 있다. 예를 들어, AI 기술을 개발하고 유지 보수하는 엔지니어, 데이터 과학자, AI 전문가 등의 직업이 등장하고 있다. 또한, 기계와 인간이 협업하는 직업도 늘어나고 있다.

- 윤리적 고민과 규제 문제 : 인공지능 및 자동화 기술의 도입은 윤리적 고민과 규제 문제를 제기하고 있다. 예를 들어, AI의 의사 결정 과정이 투명하지 않거나, 개인 정보 보호에 대한 우려 등이 있다. 이러한 문제에 대한 적절한 규제와 윤리적 가이드 라인이 필요하며, 이를 위한 논의와 노력이 진행 중이다.

(6) 글로벌 시장 진출과 해외 직장 경험의 중요성

● 글로벌 경제의 증가 : 전 세계적으로 글로벌 경제의 중요성이 증가하고 있다. 기업들은 성장과 발전을 위해 국제 시장에 진출해야 한다. 글로벌 경제에 참여하고 경쟁하기 위해서는 다양한 문화와 비즈니스 관행에 대한 이해와 경험이 필요하다. 따라서 글로벌 시장 진출은 기업의 경쟁력을 강화하는 중요한 요소가 되었다.

● 문화적 이해와 다양성 : 글로벌 시장에서 활동하려면 다양한 문화와 사회적 배경을 이해하는 능력이 필요하다. 해외 직장 경험은 이러한 문화적 이해를 향상시키고, 다양성을 존중하고 수용하는 능력을 기를 수 있다. 이는 국제 비즈니스 관계에서 상호 이해와 협력을 촉진하여 성공적인 비즈니스 결과를 이끌어내는 데 도움이 된다.

● 글로벌 네트워킹 기회 : 해외 직장 경험은 국제적인 네트워크 구축에 큰 도움을 준다. 다른 국가에서 일하고 생활하는 동안 다양한 사람들과의 관계를 형성할 수 있다. 이를 통해 국제적인 비즈니스 파트너십을 개발하고, 새로운 기회를 발견할 수 있다. 글로벌 네트워킹은 비즈니스 성공을 위한 중요한 자원이며, 해외 직장 경험은 이를 강화 시키는 데 도움이 된다.

● 창의성과 문제 해결능력 : 해외 직장 경험은 창의성과 문제 해결 능력을 향상시킨다. 다른 문화와 환경에서 일하고 생활하는 동안 새로운 아이디어를 개발하고, 다양한 도전과 고난에 직면하게 된다. 이를 통해 적응력을 기르고, 창의적인 해결책을

찾는 능력을 향상시킬 수 있다. 이러한 능력은 현대 사회에서 매우 중요하며, 경쟁력 있는 직장에서 더욱 귀중하게 여겨진다.

● 개인적인 성장과 자기개발 : 해외 직장 경험은 개인적인 성장과 자기개발에 큰 영향을 미친다. 새로운 문화와 환경에서 도전과 성취를 경험함으로써 자신의 역량과 자신감을 향상시킬 수 있다. 또한, 새로운 언어를 배우고 다양한 경험을 쌓는 것은 개인적인 성장을 촉진하는 데 도움이 된다. 이는 삶의 전반적인 면에서 긍정적인 영향을 미친다.

(7) 다양성과 포용성을 강조하는 기업 문화

● 비즈니스 성과와 연관성 : 다양성과 포용성을 강조하는 기업은 다양한 인재를 유치하고, 창의성과 혁신을 촉진한다. 다양한 배경과 관점을 가진 사람들이 함께 일하면 문제 해결에 다양한 아이디어와 접근법을 제시할 수 있다. 이는 기업의 성과와 경쟁력을 향상시키는 동시에, 혁신과 성장을 도모하는데 도움을 준다.

● 글로벌 시장에서의 경쟁력 : 글로벌 시장에서 활동하는 기업들은 다양성과 포용성을 강조하는 것이 경쟁력을 강화하는 중요한 요소이다. 다양한 문화와 언어, 비즈니스 관행에 대한 이해는 글로벌 비즈니스 관계에서 필수적이다. 다양성과 포용성을 강조하는 기업은 글로벌 시장에서 다양한 고객층을 대상으로 더욱 효과적인 비즈니스 전략을 구사할 수 있다.

● 사회적 책임과 미래 세대의 요구 : 다양성과 포용성을 강조하는

기업은 사회적 책임을 이행하고, 미래 세대의 요구에 부합하는 기업으로 인식된다. 사회적으로 다양성과 포용성을 지지하는 기업은 고객들의 호감을 받을 뿐만 아니라, 인재들의 참여와 지원을 이끌어낸다. 또한, 젊은 세대는 다양성과 포용성을 중요시하며, 이러한 가치를 고려하지 않는 기업과는 거래를 할 의사가 줄어든다.

● 조직 내 협업과 창의성 : 다양성과 포용성을 강조하는 기업은 조직 내 협업과 창의성을 촉진한다. 다양한 배경과 경험을 가진 사람들이 함께 일하면, 서로의 강점을 살릴 수 있고, 새로운 아이디어를 발굴하고 문제를 해결할 수 있다. 이는 조직의 성과와 혁신을 높이는데 도움을 준다.

● 직원들의 만족도와 유지 : 다양성과 포용성을 강조하는 기업은 직원들의 만족도와 유지에 긍정적인 영향을 미친다. 직원들은 자신의 개인적인 특성과 아이디어가 존중 받는다는 느낌을 받을 때, 조직에 대한 애착과 헌신을 더욱 갖게 된다. 이는 직원 이탈을 줄이고, 인재 유치와 재능 개발에 도움을 준다.

(8) 산업간 융합 및 새로운 비즈니스 모델의 등장

● 기술의 발전과 융합 : 기술의 발전은 산업간 융합과 새로운 비즈니스 모델의 변화를 이끌어낸다. 인공지능, 빅데이터, 사물인터넷 등의 기술은 산업의 경계를 허물고 새로운 비즈니스 모델을 탄생시킨다. 예를 들어, 의료와 기술이 융합하여 웨어러블 디바이스를 통한 건강 관리 서비스가 등장하고, 전통적인

운송업체와 기술 기반의 플랫폼이 결합하여 새로운 모빌리티 서비스가 제공되는 등의 사례가 있다.

• 디지털 플랫폼의 등장 : 디지털 플랫폼은 산업간 융합과 새로운 비즈니스 모델의 중심 요소로 발전하고 있다. 플랫폼은 다양한 기업과 업종을 연결하고, 서비스와 데이터를 제공함으로써 새로운 가치를 창출한다. 예를 들어, 운송 서비스를 제공하는 플랫폼은 운송 수요자와 운송 공급자를 연결하여 효율적이고 편리한 서비스를 제공한다

• 서비스 중심의 경제로의 전환 : 기존의 산업은 제품 중심의 경제에서 서비스 중심의 경제로 전환하고 있다. 기업은 제품을 판매하는 것뿐만 아니라, 추가적인 가치를 제공하기 위해 서비스를 제공하는 방향으로 진화하고 있다. 예를 들어, 자동차 제조업체가 자동차 서비스를 제공하거나, 가전 제조업체가 스마트 홈 솔루션을 제공하는 등의 변화가 있다.

• 공유 경제의 확장 : 공유 경제는 새로운 비즈니스 모델로 떠오르고 있다. 자산의 공유를 통해 경제적 가치를 창출하는 이러한 모델은 다양한 산업에 적용되고 있다. 예를 들어, 숙박업체가 아닌 개인들이 자신의 숙소를 공유하거나, 자동차를 공유하는 서비스 등이 이에 해당한다. 이러한 공유 경제는 자원의 효율적인 활용과 소비자 경험의 다양성을 도모한다.

• 신뢰와 보안의 중요성 : 디지털 시대의 도래로 인해 신뢰와 보안의 중요성이 더욱 부각되고 있다. 데이터의 보안과 개인정보 보호는 비즈니스 모델의 핵심 요소로 간주된다. 기업들은

고객들에게 신뢰를 제공하기 위해 보안 시스템과 프라이버시 보호에 투자하고 있다.

(9) 경력 개발과 교육에 대한 관심 증가

• 평생교육 : 기존에는 대학 졸업 이후에 교육을 마치고 취업하는 것이 일반적이었지만, 이제는 새로운 기술과 업무 환경에 대응하기 위해 평생 학습이 필요하다. 이를 위해 다양한 온라인 교육 플랫폼이 등장하고 있으며, 기업들은 직원들의 교육과정을 지속적으로 제공함으로써 역량을 강화하고 경쟁력을 확보하고 있다.

• 디지털 교육: 이제는 더 이상 전문 교육 기관에서만 제공되는 것이 아니라, 인터넷을 통해 무료로 이용할 수 있다. 이러한 변화는 모든 이들에게 동등한 교육 기회를 제공하며, 경제적인 제한으로 인한 교육의 양극화를 완화시킨다.

• AI와 VR의 등장 : AI와 VR은 교육 분야에서의 혁신적인 기술이다. AI기술을 활용하면 맞춤형 교육을 제공하고, VR을 활용하면 현장에 있지 않아도 실제 상황을 체험할 수 있다. 이러한 기술의 등장으로 인해 교육 방식이 혁신적으로 변화하고 있다.

• 노동자의 스킬 업그레이드 : 산업의 변화와 기술의 발전으로 인해, 기존에는 인력의 대규모 해고와 새로운 인력 채용으로 문제를 해결했지만, 이제는 노동자의 스킬 업그레이드가 필요하다. 기업들은 기존 직원들에게 새로운 기술을 배우도록 교육을 제공하며,

노동자들은 자신의 역량을 강화하기 위해 교육을 수강하고 스킬을 업그레이드한다.

- STEM 교육 : STEM 교육은 과학, 기술, 공학, 수학에 대한 교육을 말한다. STEM 분야의 일자리가 늘어나면서, STEM 교육에 대한 관심이 높아지고 있다. 이에 따라 교육 기관들은 STEM 교육을 강화하고, 학생들에게 STEM 분야에 대한 지식과 역량을 갖추도록 노력하고 있다.

(10) 블록체인, 사물인터넷 등 새로운 기술 분야의 등장

- 블록체인 : 블록체인은 탈중앙화된분산 원장 기술로, 거래의 투명성과 안정성을 제공하는 특징을 갖고 있다. 현재 블록체인은 금융 분야에서 주로 활용되고 있지만, 암호화폐, 스마트 계약, 공공 서비스 등 다양한 분야로 확장되어 가고 있다. 이는 중앙 기관 없이 신뢰성 있는 거래를 가능하게 하고, 보안과 개인정보 보호에 대한 우려를 해소하는 데 도움이 된다.

- 사물인터넷 : 사물인터넷은 인터넷에 연결된 사물들이 서로 통신하고 상호작용하는 기술이다. 우리 주변의 다양한 기기와 객체가 연결되어 데이터를 주고받고, 우리의 일상 생활을 스마트하게 만들어준다. 예를 들어, 스마트 홈, 스마트 시티, 자율 주행 차량 등이 사물인터넷 기술을 활용한 사례이다. 사물인터넷은 효율성, 편의성, 생산성 등 다양한 측면에서 혁신적인 변화를 가져온다.

- 보안과 개인정보 보호 : 블록체인과 사물인터넷은 보안과 개인

정보 보호에 대한 중요성을 부각시킵니다. 블록체인은 분산화 된 데이터 저장 방식으로 데이터 위조나 변경을 어렵게 만든다. 사물 인터넷은 다양한 기기와 객체가 연결되어 데이터를 주고받기 때문에 보안과 개인정보 보호에 더욱 신경을 써야 한다. 이러한 문제에 대한 연구와 기술 발전이 진행되고 있으며, 블록체인과 사물 인터넷을 보다 안전하고 신뢰성 있는 환경으로 발전시키는 노력이 이루어지고 있다.

● 산업 분야의 변화 : 블록체인과 사물인터넷은 산업 분야에서도 큰 변화를 가져온다. 예를 들어, 블록체인은 공급망 관리, 금융 거래, 투명한 선거 등 다양한 분야에서 효율성과 신뢰성을 높여준다. 사물인터넷은 제조업, 농업, 에너지, 운송 등 다양한 산업 분야에서 자동화와 데이터 분석을 통한 생산성 향상과 비용 절감을 이끌어낸다.

● 윤리적 고려사항 : 새로운 기술 분야의 발전은 윤리적 고려사항을 필요로 한다.

블록체인과 사물인터넷은 개인정보 보호, 데이터 소유권, 인공지능의 도덕성 등 다양한 윤리적 문제를 동반한다. 이에 대한 논의와 규제가 필요하며, 기술의 발전과 함께 윤리적인 사용과 관리 방안이 확립되어야 한다.

이상으로 현재 취업 시장의 변화를 살펴보았다. 너무나 빠르게 변화되고 있는 시대 속에서 기업들은 살아남기 위해 오늘도 변화하고 있다. 이러한 변화를 이끌어 갈 인재를 채용하기 위해 노력하는 중이다. 그렇기 때문에 취업을 준비하는 우리는 이 시대의 변화를 잘 인지하고 기업이 필요로 하는 인재로 잘 준비하여야 한다.

최근 이슈가 되는 기업의 기사 제목을 작성하면서 시대 변화를 감지하는 감각을 키워보자.

"당신은 당신이 믿을 수 있는 만큼 강하다."
-루더프 티머니-

활동지 4-1

최근 이슈가 되는 기업의 기사 제목	기사 요약

05.

창직과 창업

1. 창직

(1) 창직의 개념

창직(創職, Job Creation)은 기존에없는 직업이나 직종을 새롭게 만들어 내거나 기존에 있는 직업을 재설계하는'창의적인 직업'을 의미한다. 고유한 아이디어와 창의적인 사고를 바탕으로 새로운 가치를 창출하고 문제를 해결하는 직업이 해당된다고 할 수 있다. 창직은단순한 업무 수행을 넘어 새로운 시각과 아이디어를 통해 독특한 결과물을 만들어내는 과정이다.

(2) 창직의 요건

① 기본적으로 직업의 3요소인 경제성, 지속성, 윤리성을 갖추어야 한다.

② 기존의 직업이나 직무 내용과 확연히 다른 차별성과 혁신성을 갖추어야 한다. 비슷한 직종이라 하더라도 직무의 성격이 혁신적이면 창직이라고 할 수 있습니다. 기존의 직무형태를 갖고 있는데 명칭만 새롭게 바꾼 것은 창직이 아니다.

③ 노동시장에서 현실적으로 실현 및 구현 가능해야 한다.

④ 창직을 평생직업으로 유지하기 위해서는 특허, 저작권 등의 지적재산권이나 기술 등의 핵심역량을 보유한 전문성이 있어야 한다.

⑤ 창직은 기존의 노동시장이 아닌 새로운 시장을 개척하여 일자리 영역을 만들어 가는 것이기에 확대 보급을 위한 보편성을 갖추어야 한다. 창직 직무에 대한 명세화, 교육, 훈련 등의 체계를 갖춰야 한다.

(3) 창직을 위해 갖추어야 할 역량

① 창의성과 상상력 : 새로운 아이디어를 만들고 기존의 문제에 대해 창의적으로 접근하는 능력이 중요하다.

② 문제 해결 능력 : 갑자기 닥치는 여러 가지 복잡한 문제에 대한 해결책을 찾을 수 있는 능력이 필요하다.

③ 자기 주도성과 독립성 : 새로운 일이기 때문에 자기 주도적으로 일을 추진하고 문제를 해결할 수 있는 능력이 요구된다.

④ 학습 능력과 호기심 : 빠르게 변하는 환경에서 새로운 지식과 기술을 습득하며, 지속적으로 자기 개발에 힘쓸 수 있는 호기심이 필요하다.

⑤ 융통성과 적응력 : 불확실한 환경에서도 적응할 수 있는 능력과 새로운 상황에 대처하고 적응할 수 있는 융통성이 중요하다.

⑥ 협업과 소통 능력 : 새로운 종종 팀으로 일하거나 다양한 이해관계자들과 소통해야 하는 상황이 발생한다.

⑦ 위험 감수성과 실패에 대한 대처 능력 : 실패와 위험을 감수할 수 있는 용기와 대처 능력이 필요하다. 실패를 통해 배우고 다시 도전할 수 있는 태도가 중요하다.

⑧ 인간관계 및 네트워킹 : 타인과의 관계와 협업하면서 좋은 인간관계 및 네트워킹 을 만들어야 한다.

⑨ 시장 이해와 트렌드 파악 : 시장성이 있는 직업을 창출하기 위해서 현재 시장 동향을 이해하고 미래 트렌드를 파악하는 능력이 필요하다.

⑩ 윤리적인 가치관 : 모든 직업이 그렇듯 사회적 책임과 윤리적인 가치관을 고려해야 한다.

(4) 창직의 사례

● 암환우뷰티관리사 : 항암 치료로 외모의 변화로 힘들어하는 환우들을 찾아가 메이크업, 세안, 두피관리 등 외모를 관리해주는 직업이다. '유어웰컴' 업체를 만든 유지영 대표가 만든 직업이다.

● 디지털 큐레이터 : 온라인 상에 있는 무수한 정보들 중에서 사용자가 원하는 정보들을 모아서 유용하게 상용할 수 있도록 제공하는 일이다.

● 원산지 관리사 : 원산지를 점검하여 증명서를 발급하고 검수하는 전문가를 말한다. 국제무역이 활발한 현시대에 더욱더 요구되는 직업이다.

- 창업컨설턴트: 창업을 하려는 사람들의 모든 부분을 컨설팅하여매출이 증대할 수 있도록 도와주는 직업이다.
- 반려동물사진작가 : 함께하는 반려동물과 좋은 기념사진을 찍을 수 있도록 진행해주는 직업이다.

이 외에도 무수한 직업들이 오늘도 생기고 있다. 인터넷에서 새롭게 생겨난 직업들을 탐색하고 무슨 일을 하는지 '활동지 5-1'에 작성해보자.

"어려운 길을 선택하면 성장할 기회가 있는 것이다."
- 존 C. 맥스웰 -

활동지 5-1

직업명	하는 일	관련 업체명

(5) 창직의 효과

① 다양한 진로 진출 : 취업, 창업, 자유업, 사회활동가 등 다양한 영역으로 진출이 가능하다.

② 높은 직업만족도 : 본인이 관심을 주고 시작한 일이라 적성에 맞고, 재밌게 일을 할 수 있어서 만족도가 당연히 높을 수 밖에 없다.

③ 경쟁 없는 시장 구도 : 기존에 없던 시장이라 치열한 경쟁 구도 없이 개척할 수 있다.

④ 사회적 기여 : 사회가 필요로 하는 일을 만들기 때문에 새로운 일자리 창출에 기여하게 되고 자부심과 보람도 느끼게 된다.

'표 5-1'을 참고하여 새로운 직업은 어떻게 만들어지는지 참고하길 바란다.

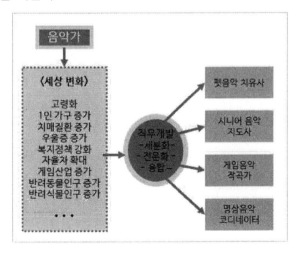

2. 창업

(1) 창업의 의미

새로운 비즈니스를 시작하고 운영하는 과정을 말한다. 창업자는 아이디어나 제품, 서비스를 기반으로 기업을 설립하고, 자금 조달, 시장 조사, 비즈니스 모델 개발, 운영 계획 수립, 직원 채용 등 다양한 단계를 거쳐 사업을 성공적으로 키우려고 노력한다. 오늘도 새로운 사업자는 나오고 있으며, 반대로 폐업자도 계속 나오고 있다. 계속 성장하는 사업을 하기 위해서 창업자로서 올바른 마인드와 시장을 볼 수 있는 안목을 키워야 한다.

(2) 창업의 단계

① 아이디어 도출 : 창업의 첫 단계는 혁신적인 아이디어나 문제 해결을 위한 솔루션을 도출하는 것이다. 이 단계에서는 시장 조사와 경험을 통해 아이디어를 검증하고 발전시킬 수 있는 방법들을 고민해야 한다.

② 비즈니스 계획 수립 : 아이디어가 구체화되면 이제 비즈니스 계획을 수립하게 된다. 이 계획은 제품 또는 서비스 설명, 시장 조사 결과, 경쟁 분석, 수익 모델, 마케팅 전략, 운영 계획 등이 포함된다. 이때 세심한 부분까지 살펴보며 계획을 할수록 실패를 최소화 할 수 있다.

③ 자금 조달 : 창업자는 자신의 자금 뿐만 아니라 외부 자금을 조달할 수도 있어야 한다. 자금은 초기 투자, 대출, 투자자의

투자, 정부 지원금 등 다양한 형태로 이뤄진다. 자금을 어떻게 모으고, 어떻게 운영할지 많은 고민이 필요한 단계이다.

④ 법적 절차 및 등록 : 기업을 법적으로 성립시키기 위해 필요한 등록 절차와 관련된 법적 의무들을 이행해야 한다. 이는 기업의 법적인 신분을 보호하고 안정성을 확보하는 데 도움이 되기 때문에 반드시 해 두어야 한다.

⑤ 제품 또는 서비스 개발 : 창업자는 아이디어를 실제로 구현할 수 있도록 제품, 서비스를 개발해야 한다. 또한 품질 향상과 고객의 요구를 충족시키기 위해 지속적인 개선이 이뤄져야 한다.

⑥ 마케팅 및 판매 : 제품, 서비스를 시장에 성공적으로 소개하기 위해서는 마케팅 전략을 수립하고 실행해야 한다.. 고객을 유치하고 매출을 증가시킬 수 있는 방법을 고민해야 한다.

⑦ 운영 및 확장 : 성공적인 창업 이후에 정체되어 있으면 안된다. 사업을 지속적으로 운영하고 확장하는 것이 중요하다. 고객 서비스 향상, 새로운 시장 탐색, 혁신 등을 통해 신뢰를 쌓아 나가야 한다.

⑧ 실패와 학습 : 모든 창업자가 성공하는 것은 아니다. 실패는 학습의 기회로 삼아 실패하게 된 요인을 찾아보고 새로운 시도를 반복하면서 경험을 쌓고 비즈니스 모델을 조정, 발전시켜 나가야 한다.

(3) 창업자가 지녀야 할 자세
변화무쌍한 비즈니스 환경에서 성공적으로 사업을 키우기 위해서 창업자는 아래와 같은 자세를 지녀야 한다.

① 자발적인 태도 (Proactive Attitude) : 성공적인 창업자는 문제에 대해 자발적으로 대처하고, 기회를 찾아 나서는 태도를 갖춰야 합니다. 불확실한 상황에서도 자발적으로 행동하고 문제를 해결하는 능력이 중요합니다.

② 인내와 인내력 (Patience and Resilience) : 창업은 즉각적인 성과를 기대하기 어려운 여정이다. 어려움에 직면했을 때 인내와 인내력을 가지고 계속해서 문제에 대응하며 사업을 키워 나가는 능력이 필요하다.

③ 긍정적인 마인드셋 (Positive Mindset) : 실패와 어려움에도 불구하고 긍정적으로 문제를 바라보고 해결책을 찾는 능력을 갖추어야 한다. 실패를 배움의 기회로 여기고 긍정적으로 학습하는 자세가 필요하다.

④ 열정과 헌신 (Passion and Dedication) : 창업은 어려움이 많고 노력이 필요한 여정이다. 이러한 상황에서 열정과 헌신이 있어야만 어려움을 극복하고 사업을 성공적으로 키울 수 있다.

⑤ 사용자 중심 접근 (Customer-Centric Approach) : 성공적인 비즈니스를 만들기 위해서는 사용자 또는 고객을 중심에 두는 사고 방식이 필요하다. 사용자의 니즈를 이해하고 그에 맞춰 제품이나 서비스를 개발하며 지속적으로 피드백을 수용하는 자세가 중요하다.

⑥ 팀 빌딩 및 협업 능력 (Team Building and Collaboration Skills): 혼자서 모든 일을 처리하기 어려운 창업에서는 효과적인

팀 빌딩과 협업 능력이 필요하다. 좋은 팀을 구성하고 효과적으로 리더십을 발휘하는 능력이 중요하다.

⑦ 비즈니스 이해 (Business Acumen) : 산업 동향, 경쟁 분석, 금융 등 다양한 측면에서 비즈니스에 대한 전반적인 지식을 갖추어야 한다. 비즈니스 환경을 잘 이해하고 적절한 전략을 수립하는 능력이 중요하다.

⑧ 비즈니스 이해는 자기 주도성(Self-Driven) : 창업자는 스스로 목표를 설정하고 그에 따라 행동할 수 있는 자기 주도성이 필요하다. 일을 스스로 관리하고 계획하는 능력이 창업 활동에 도움이 된다.

⑨ 유연성과 적응력 (Flexibility and Adaptability) : 산업 환경이 빠르게 변하는 현대사회에서는 유연성과 적응력이 필요하다. 새로운 환경에 빠르게 적응하고 변화에 대처하는 능력이 중요하다.

⑩ 커뮤니케이션 능력 (Effective Communication) : 창업자는 자신의 아이디어와 비전을 효과적으로 전달할 수 있어야 한다. 투자자, 고객, 팀원과의 원활한 소통이 핵심이며, 목표를 명확하게 전달할 수 있는 능력이 중요하다.

(4) 창업 지원 기관
창업을 지원하는 대한민국 정부기관으로는 다음과 같은 기관들이 있다

① 중소벤처기업진흥공단 www.kosmes.or.kr

중소기업과 창업 생태계를 지원하는 공단으로, 창업 지원 프로그램, 자금 지원, 멘토링, 교육 등을 제공한다.

② 한국벤처캐피탈협회 www.kvca.or.kr

벤처 캐피탈과 스타트업 간의 협력을 촉진하고 창업 기업을 지원하는 기관이다. 자금 지원 및 네트워킹 기회를 제공한다.

③ 청년창업사관학교 start.kosmes.or.kr

중기진흥공단이 주최하고 서울경제진흥원이 운영하는 교육 기관으로, 청년 창업자를 대상으로 하는 창업 교육 프로그램을 제공한다.

④ 한국창업지원협회 www.kfsa.kr

소상공인들의 매출을 확대하고, 비용을 절감할 수 있는 방법과 성장과 고용확대를 통해 지역 경제 활성화에 이바지할 수 있도록 마케팅 지원 사업, 브랜드 컨설팅 등을 제공한다.

⑤ 기술보증기금 www.kibo.or.kr

기술 창업 기업에 대한 자금 지원 및 기술 보증, 기술 평가 등의 서비스를 제공하여 기업의 기술 경쟁력을 제고하는 정부 기관이다.

⑥ 한국산업인력공단 청년창업사관학교start.kosmes.or.kr

청년 창업자를 위한 교육 및 지원 프로그램을 운영하는 기관으로, 창업 아이디어 개발 및 사업화 지원을 제공한다.

이 외에도 지방자치단체, 대학, 비영리 단체 등에서도 다양한 창업 지원 프로그램이 운영되고 있으니, 관심 있는 분야와 지역에 맞는 기관을 찾아 지원받을 수 있다.

3. 창직과 창업의 사례

(1) 구멍가게에서 글로벌 기업으로

작은 가게 하나에서 시작하여 큰 기업이 된 사례는 아주 많다. 그 중 대표적인 삼성에 대해 알아보자. 삼성은 1938년에 대한민국의 성장과 함께 발전한 대표적인 기업 중 하나로, 초기에는 식료품과 소비재를 취급하는 상사로 시작했다. 그 후, 다양한 산업 분야에 진출하여 현재는 세계적인 기업으로 성장하였다. 삼성의 주요 발전 과정을 간략하게 살펴보자.

1938년 - 창업 : 1938년에 이건희(李健熙)가 창업한 '삼성상사'로 시작된다. 주로 식료품과 소비재를 생산 및 판매하는 상사로 출발했다.

1950년대 - 삼성 그룹 설립 : 1953년 한국전쟁 이후삼성은 서비스, 금융, 건설 등 다양한 분야로 사업을 확장하였고, 1954년 삼성의 중심 회사인 삼성상사가 삼성그룹으로 발전하였다.

1960년대 - 제조업 진출 : 삼성이 전자, 화학, 건설 등 다양한 산업으로 진출하였다. 특히, 1969년에 삼성전자가 설립되어 전자제품 분야에 진출하였다.

1970년대 - 세계화와 성장 : 세계 시장에 진출하여 수출을 증가시키고, 세계적인 기업으로의 발전을 위한 기반을 다졌다. 이

시기에 삼성은 섬유, 기계, 화학, 식품 등 다양한 분야로 사업을 확장하였다.

1980년대 - 기술 혁신과 성공적인 다국적 기업화 : 기술 혁신을 통해 반도체, LCD, 디지털 제품 등에 주력하며 글로벌 시장에서 큰 성과를 거두었다.

1990년대 - 다양한 분야의 성공과 경영 철학 강조 : 휴대전화, 반도체, 디스플레이 등에서 세계적인 기업으로 성장하였다. 이 때 '품질 우선, 고객 만족'을 강조하는 경영 철학을 정립하였다.

2000년대 이후 - 글로벌 기업으로의 성장 : 스마트폰, 반도체, 디스플레이 등 첨단 기술에 중점을 두어 글로벌 시장에서 지속적인 성장을 이루었다. 삼성은 또한 다양한 산업에 진출하며 2020년 인터브랜드의기업 브랜드 가치 평가 순위에서 세계 5위를 차지했다.

(2) 플랫폼 기반 스타트업

① 크몽(Kmong) : 온라인 프리랜서 플랫폼으로다양한 분야의 프리랜서들과 고객들을 연결하는 서비스를 제공한다. 그림, 디자인, 문서작성, 프로그래밍 등 다양한 분야에서 프리랜서를 찾을 수 있도록 돕고 있다.

② 배달의민족(Baemin) : 대표적인 음식 배달 서비스 플랫폼 중 하나로, 모바일 앱을 통해 음식 주문 및 배달 서비스를 제공한다. 빠른 음식 배달과 다양한 가게의 협력으로 인기를 얻고 있다.

③ 쏘카(SOCAR) : 카셰어링서비스로, 차량을 필요에 따라 대여할

수 있는 플랫폼을 제공한다. 회원들은 모바일 앱을 통해 쏘카의차량을 예약하고 사용할 수 있어 효율적이고 편리한 이동 수단으로 인기를 끌고 있다.

④ 지그재그 (Zigzag) : 패션 스타일링 및 쇼핑 서비스를 제공하는 모바일 앱으로, 개인화된 스타일 추천과 패션 상품을 소개하고 구매할 수 있는 플랫폼이다. 사용자들에게 다양한 브랜드와 스타일을 제안하여 패션 쇼핑을 새롭게 제시하고 있다.

⑤ 야놀자(Yanolja) : 호텔 및 숙박 업종에서 큰 성공을 거두고 있는 기업 중 하나로, 모바일 앱 및 웹 플랫폼을 통해 호텔 예약 서비스를 제공한다. 특히, 각종 이벤트와 할인을 통해 사용자들에게 다양한 혜택을 제공하고 있다.

이 외에도 다양한 분야에서 성공적인 창업 기업들이 많이 있으며, 기술, 서비스, 소프트웨어, 플랫폼 등 다양한 산업 분야에서 창업 사례를 찾아볼 수 있습니다. 우리 주변에는 또 어떤 창업이 있는지 찾아보고 '활동지 5-2'에 정리해보자.

> "당신이 선택하는 길이 얼마나 어려운지가 아니라,
> 얼마나 많은 것을 배우고 성장하는지가 중요하다"
> - 주드 콜린스 -

활동지 5-2

업체명	하는 일	대표자 이름

06.

취업 성공 사례

1. 취업 성공 사례 분석

이 과정에서는 SNS, 주변 지인 등을 통해 취업에 성공하게 된 사례를 찾아보고 정리하는 시간을 갖고자 한다. 취업 성공 사례는 주변의 지인을 인터뷰하는 것이 가장 좋다. 친인척이나 교수님을 통해 본인이 관심 갖고있는 직무를 하고있는 사람을 찾아보자. 바로 연락하기보다는 이메일, DM으로 연락한 후 궁금한 것을 인터뷰 하면서 정리해보자. 아무리 찾아도 없다면 요즘은 youtube에 직무 인터뷰를 한 것이 많다. 그러니 그 인터뷰를 보면서 정리하다보면 업무에 대한 이해도 하게 될 것이고, 무엇을 준비해야 할 지 팁도 얻을 수 있다.' 활동지 6-1, 6-2, 6-3'을 활용하여 3명의 취업에 성공하기 위해 어떤 준비를 했는지 정리해보자.

* 참고
대기업 공채 생산관리직 인터뷰 해봤다.
https://www.youtube.com/watch?v=6d8L4YFebpo

[마케팅] 취업 위해 필요한 것 & 면접 답변 예시 3가지
https://www.youtube.com/watch?v=D7mHi_LZ2h0

[#유퀴즈온더블럭] 인싸력부터남다른 취업의 신 황인 자기님
https://www.youtube.com/watch?v=xNcWZpufxb4&t=522s

[#유퀴즈온더블럭] 19세에 금융권 취뽀성공 동아리 8개·자격증
20개까지 유재석도 찐으로 놀란 합격 스펙
https://www.youtube.com/watch?v=PesukwsWqzY

"어려운 일이 무서워지면,
그 일을 작은 조각으로 나누어
해결하라."
- 대니얼 웰드 -

취업자 이름		취업한 업체명	
담당직무		조사하는 경로	

이 기업을 선택하게 된 이유

이 직무를 선택하게 된 이유

취업을 위해 준비한 것

취업준비자들에게 하고 싶은 조언

내가 느낀 점. 깨달은 점

기타

활동지 6-2

취업자 이름		취업한 업체명	
담당직무		조사하는 경로	

이 기업을 선택하게 된 이유

이 직무를 선택하게 된 이유

취업을 위해 준비한 것

취업준비자들에게 하고 싶은 조언

내가 느낀 점. 깨달은 점

기타

취업자 이름		취업한 업체명	
담당직무		조사하는 경로	

이 기업을 선택하게 된 이유

이 직무를 선택하게 된 이유

취업을 위해 준비한 것

취업준비자들에게 하고 싶은 조언

내가 느낀 점. 깨달은 점

기타

07.

취업 전략 분석

1. SWOT 활용 나의 환경 분석

SWOT분석은 경영을 위해 많이 사용되고 있는 도구이다.
내부적으로 자신이 가진 Strengths(강점), Weaknesses(약점)과
외부적으로 자신에게 작용되는 Opportunities(기회), Threats
(위협)의 4개 단어의 첫 글자로 SWOT이라고 불려진다. 자기
자신을 정확히 파악하고, 외부 환경의 기회와 위협을 고려하여
취업 전략을 세울 수 있는 도구이다.

(1) 강점(Strengths)

본인이 목표로 두고 있는 직무, 기업에서 요구하는 것과 비교했을
때 알고 있는 지식, 능력, 경력, 성격, 가치관, 흥미, 적성 등
본인이 보유하고 있는 것을 생각해보자.
나의 강점은 무엇인가?
내가 보유하고 있는 기술과 지식은 어떤 것이 있는가?
어떤 프로젝트로 성과를 거둔 경험이 있는가? 역경을 이겨낸
경험이 있는가?

가정환경, 학창생활 등으로 이 직무를 하는데 도움이 될만한 것은 무엇이 있는가?

앞에서 다루었던 자기 분석의 내용을 토대로 자신을 깊게 생각하고 정리해보자.

(2) 약점(Weaknesses)

본인이 목표로 두고 있는 직무, 기업에서 요구하는 것과 비교했을 때 보유하지 못하고 있는 것을 검토해보자.

나의 약점은 무엇인가?

내가 아직 보유하지 못한 지식과 기술은 무엇인가?

내가 아직 하지 않은 활동은 무엇인가?

내가 내세우지 못하는 학벌, 나이, 외모 등이 있는가?

앞에서 다루었던 자기분석을 토대로 자신을 깊게 생각하고 정리하자.

(3) 기회(Opportunities)

외부 환경이 내가 취업을 하는데 도움이 되는 것을 찾아보자.

정치 분야에서 내가 생각하고 있는 직무와 관련된 정책이 있거나 발전할 수 있는 부분이 있는가?

경제의 변화 중 내가 취업을 준비하는 것에 도움이 되는 부분이 있는가?

사회의 변화 중에 내가 취업하는데 도움이 되는 변화가 있는가?

정보, 기술의 발달이 내가 취업하는데 유리한 부분이 있는가?

신문, 뉴스 등 다양한 매체를 통해 정보를 파악하고 나에게 도움이 되는 것을 찾아보자.

(4) 위협(Threats)

외부 환경이 내가 취업을 하는데 방해가 되는 것을 찾아보자.

정치 분야에서 정책의 변동으로 나의 취업에 위협이 되는 것이 무엇일까?

현재의 경기는 취업에 걸림돌이 되는 현상이 있는가?

각 기업들의 채용 분위기는 내가 취업하려는 데 위협이 되는 것이 있는가?

정보, 기술의 발전이 내가 선택한 직무에게 위협이 될만한 것이 있는가?

다양한 매체를 통해 내가 사회로 진출하는데 방해가 되는 것을 찾아보자.

4가지 요소의 내용을 잘 정리해서 나의 취업 상황을 파악해보자. '표 7-1'을 참고해서 본인의 SWOT 분석을 '활동지 7-1'에 정리하자.

표 7-1

일에 대한 열정 및 추진력 불타오르는 학구열 원활한 대인관계 따뜻하고 배려하는 마음 '하면 된다'라는 마인드 공사현장 체험 팀의 동기부여 리더십	이해력 부족 너무 서두르려고 함 한 곳에 몰두하면 다른 것은 신경 쓰 지 않음 욕심이 많음 집중력이 부족
S	W
학교에서 지원하는 다양한 프로그램 실험실 선배들의 조언 교내 상담가 방문 수많은 인터넷 강의 경험 위주 채용 확산 멘토링, 포트폴리오 적극 지원	열악한 상태인 토목직업 대, 중소기업 간의 연봉 차이 수준이 올라가는 영어성적 뛰어난 경쟁자
O	T

희망직무	
S	**W**
O	**T**

2. SWOT Matrix 활용나의 진로전략수립

SWOT Matrix는 SWOT분석에서 도출한 강점, 약점, 기회, 위협을 바탕으로 취업 방향과 계획을 전략적, 시각적으로 나타낸 도구이다. 이를 통해 자신의 현 상태와 환경을 분석하고 효과적인 전략을 아래와 같이 4가지로 세울 수 있다.

(1) SO전략

'우수 수행과제'라고 불려지는 전략으로 본인의 강점(Strengths) 요소들 중에 기회(Opportunities)를 잡아 취업을 준비할 수 있는 방법을 계획한다.

(2) ST전략

'우선 보완과제 ' 라고 불려지는 전략으로 본인의 강점(Strengths) 요소들 중에 위협(Weaknesses)를 회피할 수 있는 방법이나 최소화할 수 있는 방법을 계획한다.

(3) WO전략

'리스크(risk) 해결과제 ' 라고 불려지는 전략으로 본인의 약점 (Weaknesses) 요소들을 어떻게 보완하여 기회(Opportunities)를 잡아 취업을 준비할 수 있는 방법을 계획한다.

(4) WT전략

'장기 보완과제 ' 라고 불려지는 전략으로 본인의 약점 (Weaknesses) 요소들을 어떻게 보완하여 위협(Weaknesses)를 회피할 수 있는 방법이나 최소화할 수 있는 방법을 계획한다.

'표 7-2'를 참고하여 본인의 진로전략을 '활동지 7-2'에 SWOT Matrix로 수립해보자.

표 7-2

내적 요인 / 외적 요인	장점(S) •일에 대한 열정 및 추진력 •불타오르는 학구열 •원활한 대인관계 •따뜻하고 배려하는 마음 •'하면된다'라는 마인드 •공사현장 체험 •팀의 동기부여 리더십	단점(W) •이해력이 부족 •너무 서두르려고 함 •한곳에 몰두하면 다른 것은 신경 쓰지 않음 •욕심이 많음 •집중력이 부족
기회(O) •학교에서 지원하는 다양한 프로그램 •실험실 선배들의 조언 •교내 상담가 방문 •수많은 인터넷강의 •멘토링, 포트폴리오 적극지원	SO 전략 •불타오르는 열정으로 교내에서 지원하는 취업, 영어프로그램참석 •친한 선배와, 교내 상담 교수님께 진로에 대한 좌표 정하기 •주위공사현장 근로로 미리 현장분위기 파악하기 •'하면 된다'라는 마음으로 모든 활동에 최선을 다하기	WO 전략 •부족한 수학을 선배들과 친구들에게 도움 요청 •고쳐야 할 습관들을 상담가에게 조언을 구함 •학교에서 지원하는 인성관리 프로그램을 통해 나를 관리
위험(T) •열악한 상태인 토목 직업 •대.중소기업간의 연봉차이 •수준이 올라가는 영어성적 •뛰어난 경쟁자	ST 전략 •기업이 원하는 인재상이 되기위한 개인관리 •학구열로 경쟁자들 압도하는 방법 계획하기 •영어성적이 뛰어난 친구들과 매주 스터디 그룹	WT 전략 •복지,임금,시간이 마음에 드는 회사에 갈 수 있도록 내 수준을 지속적으로 향상시키기 •남들과 비교하지 않고 나의 페이스로 꾸준하게 성장하기 •꾸준한 자기개발 계획 세우기

희망직무

내적 요인	장점(S)	단점(W)
외적 요인		
	SO 전략	WO 전략
기회(O)		
	ST 전략	WT 전략
위험(T)		

08.

취업 전략 분석

1. 채용 동향 분석

세계는 오늘도 급속하게 변화하고 있으며, 그 변화 속에 기업들도 변화하지 않으면 살아남을 수가 없다. 그래서 기업은 이 시대에 필요한 인재, 미래에 필요한 인재를 채용하고 있다. 어떤 인재를 요구하는지를 잘 파악해야 우리는 그러한 인재로 준비를 할 수 있다. 아래 내용을 살펴보며 자신의 취업 준비에 참고하길 바란다.

(1) 수시 채용 확대 : 기업들은 대규모 공개 채용보다는 필요한 인력을 수시로 채용하는 방식으로 변화되고 있다. 이는 인력 수요가 특정 시기에 집중되는 경우가 많기 때문이다. 그래서 취업준비생은 기업 홈페이지에 본인 지원서를 제출해 두거나 정기적으로 채용 소식을 찾아보아야 한다.

(2) 경력직 선호 : 기업들은 신입사원보다는 경력사원을 선호하는 경향이 있다. 이는 경력사원이 업무에 대한 이해도가 높고, 빠르

게 적응할 수 있기 때문이다. 이제 대학을 졸업하는 자의 입장에서는 경력을 쌓지도 못한 상황인데 경력을 선호하다 보니 취업을 포기하는 경우가 발생한다. 그러지 말고 대학을 다닐 동안 인턴, 아르바이트, 봉사 등으로 경력을 조금씩 쌓아 두자. 아니면 졸업 후 눈높이를 낮추어 소기업에서 경력을 쌓은 후에 목표 기업에 지원해보자.

(3) 인공지능(AI) 활용 : 인공지능(AI) 기술을 활용하여 채용 과정을 자동화하는 기업이 늘어나고 있다. AI는 이력서 분석, 면접 질문 생성, 평가 등 다양한 분야에서 활용되고 있고, AI에 의존해서 작성된 지원서도 걸러내는 'AI 킬러'도 등장하였다. 그렇기 때문에 너무 AI에 의존한 지원서는 금물이다. 하지만 업무에서는 적극적으로 활용할 수 있는 능력을 갖추어야 한다.

(4) 디지털 역량 강화 : 기업들은 디지털 역량을 갖춘 인재를 선호하고 있다. 이는 디지털 기술이 빠르게 발전하고, 디지털화가 기업의 경쟁력을 좌우하는 중요한 요소이기 때문이다. 한글, 워드, 파워포인트, 엑셀 등을 넘어서서 직무에 필요한 디지털 역량을 갖추어야 한다. 포토샵, 일러스트, UI, UX, 자바, 파이썬, 프리미어프로, 에프터이펙트 등 본인이 지원하려는 직무는 어떤 디지털 역량을 필요로 하는지 알아보고 정리하자.

(5) 직무 중심 채용 : 기업들은 직무에 적합한 인재를 선발하여

업무 효율성을 높이고, 인재의 역량을 극대화하기 위해서 직무 중심의 채용을 강화하고 있다. 그렇기 때문에 각 기업의 직무를 제대로 이해하고, 그 직무와 관련된 경험과 지식을 쌓아야 한다.

(6) 글로벌 인재 채용 : 국내 기업들은 글로벌 시장에서의 경쟁력을 강화하기 위해 해외 진출이 증가하면서 글로벌 인재를 채용하는 기업이 늘어나고 있다. 내가 지원하려는 회사는 어떤 국가로 진출했으며, 진출하려고 준비하고 있는지 살펴보자. 그렇게 진출할 때 필요한 인재가 본인이 될 수 있도록 준비하자.

이러한 변화들도 각 기업과 직무에 때라 요구사항이 다르다. 각 기업과 직무에서 요구하는 지식과 능력을 꼼꼼하게 파악하기 위해서 여러 취업 관련 사이트를 탐구하고 정리해야만 한다. '표 8-1'과 '표 8-2'는 취업과 관련된 대표적인 사이트들이다. 본인의 직무와 연관된 사이트를 꼼꼼하게 살펴보고 정리하길 바란다.

표 8-1

분야	사이트	
국가기관 관련 사이트	워크넷	https://www.work.go.kr
	커리어넷	https://www.career.go.kr
	NCS	www.ncs.go.kr
	잡알리오(공공기관 채용소식)	https://job.alio.go.kr/main.do
	나라장터	http://www.g2b.go.kr/index.jsp 입찰공고검색-업무구분(용역)
	나라일터	https://www.gojobs.go.kr/
	사이버국가고시센터	https://www.gosi.kr/
	클린아이잡플러스(지방공공기관)	https://job.cleaneye.go.kr/
전체 기업 채용 사이트	사람인	www.saramin.co.kr
	잡코리아	www.jobkorea.co.kr
	인크루트	www.incruit.com
	에듀스	www.educe.co.kr
	잡이룸	www.joberum.com
기업뉴스&정보	잡플래닛(기업 평점)	www.jobplanet.co.kr
	위포트(취업 관련 시험 안내)	https://smartstore.naver.com/
	로켓펀치	https://www.rocketpunch.com/
	원티드인사이트 (기업 연봉 정보)	https://insight.wanted.co.kr/
외국계 기업	피플앤잡	https://www.peoplenjob.com/
	잡포스팅	http://www.jobposting.co.kr/
	차이나통(중국취업)	https://www.chinatong.net/
	월드잡플러스(산업인력공단)	https://www.worldjob.or.kr/
IT 분야	게임잡	https://www.gamejob.co.kr/
	Pjob(프로그래머 아웃소싱)	http://www.pjob.co.kr/
	런프리	https://learnfree.co.kr/

분야	사이트	
미디어 분야	미디어잡	https://www.mediajob.co.kr/
	광고정보센터	https://www.adic.or.kr/
국가기관 관련 사이트	워크넷	https://www.work.go.kr
	커리어넷	https://www.career.go.kr
	NCS	www.ncs.go.kr
	잡알리오(공공기관 채용소식)	https://job.alio.go.kr/main.do
	나라장터	http://www.g2b.go.kr/index.jsp 입찰공고검색-업무구분(용역)
	나라일터	https://www.gojobs.go.kr/
	사이버국가고시센터	https://www.gosi.kr/
	클린아이잡플러스(지방공공기관)	https://job.cleaneye.go.kr/
전체 기업 채용 사이트	사람인	www.saramin.co.kr
	잡코리아	www.jobkorea.co.kr
	인크루트	www.incruit.com
	에듀스	www.educe.co.kr
	잡이룸	www.joberum.com
기업뉴스&정보	잡플래닛(기업 평점)	www.jobplanet.co.kr
	위포트(취업 관련 시험 안내)	https://smartstore.naver.com/
	로켓펀지	https://www.rocketpunch.com/
	원티드인사이트 (기업 연봉 정보)	https://insight.wanted.co.kr/
외국계 기업	피플앤잡	https://www.peoplenjob.com/
	잡포스팅	http://www.jobposting.co.kr/
	차이나통(중국취업)	https://www.chinatong.net/
	월드잡플러스(산업인력공단)	https://www.worldjob.or.kr/
IT 분야	게임잡	https://www.gamejob.co.kr/
	Pjob(프로그래머 아웃소싱)	http://www.pjob.co.kr/
	런프리	https://learnfree.co.kr/
미디어 분야	미디어잡	https://www.mediajob.co.kr/
	광고정보센터	https://www.adic.or.kr/

2. 채용 동향 정리

취업과 관련된 대표적인 사이트들을 정리한'표8-1'과 '표 8-2'를 참고하여 아래 내용들을 찾아보고 정리하자.

(1) 전반적인 채용 시장의 현황

전반적인 채용 시장의 현황을 파악하는 것은 취업 준비의 첫걸음이다. 이 활동은 현재 취업 시장의 트렌드를 이해하고 자신의 경쟁력을 파악하는데 도움이 된다.

(2) 업종별, 직무별 채용 동향

업종별, 직무별 채용 동향을 파악하는 것도 중요하다. 자신이 원하는 업종, 직무에 대한 정보를 얻고, 그에 맞는 준비를 계획하자.

(3) 채용 절차 및 평가 기준

기업들은 다양한 채용 절차를 통해 지원자의 역량을 평가한다. 각 기업의 채용 절차 및 평가 기준을 파악하여 이에 대비하자.

(4) 경쟁률 및 합격률

경쟁률 및 합격률을 파악하여 자신의 목표 기업에 대한 경쟁력을 가늠하고, 합격 가능성을 높이기 위한 전략을 세우자.

위 내용을 바탕으로 하여 기업분석, 직무분석, 채용분석 등을 작성해 보자. '활동지 8-1'에는 기업분석을 하여 각 항목에 작성하고, '활동지 8-2'에는 직무를 분석하여 각 항목에 작성해보자. 이렇게 작성해보면 기업과 직무에 대해 좀 더 깊이 이해할 수 있다. '활동지 8-3'에는 채용을 분석하여 각 항목에 정리한다. 이때 현재 채용에 대한 내용만 적지 말고, 과거 채용 내용도 적어서 앞으로 이 분야에서 요구하는 것이 무엇인지 유추하도록 하자. 그리고 신입만 찾아서 적지 말고 경력직의 요구사항, 직무에 대한 내용도 정리하여 앞으로 2~3년 뒤 경력직으로 진출하기 위해 현재 무엇을 해야 할지 계획하도록 하자.

참고자료 : 정부 및 기업의 채용 관련 발표자료, 기사 정리
취업 관련 온라인 커뮤니티, 블로그 등을 활용
취업 전문 컨설팅을 받기

"힘들게 느껴질 때가 가장 성장하는 때이다."
- 김난도 -

기업분석

	1	2	3	4
기업 (회사)명				
관심 부서명				
대표자				
창업자 설립일자				
회사이념				
회사연혁				
주요제품 서비스				
경영목표				
본사주소				
주요기사				
재무현황				
경쟁기업				

	5	6	7	8
기업 (회사)명				
관심 부서명				
대표자				
창업자				
설립일자				
회사이념				
회사연혁				
주요제품 서비스				
경영목표				
본사주소				
주요기사				
재무현황				
경쟁기업				

	9	10	11	12
기업 (회사)명				
관심 부서명				
대표자				
창업자				
설립일자				
회사이념				
회사연혁				
주요제품 서비스				
경영목표				
본사주소				
주요기사				
재무현황				
경쟁기업				

09.

입사지원서 작성법

1. 입사지원서의 중요성

입사지원서는 개인이 회사에 지원할 때 제출하는 문서로 자신의 개인 정보, 학력, 경력, 자격증, 병역 사항 등을 적는 것으로 취업의 첫 관문이다. 이를 통해 회사는 지원자의 기본 정보를 확인하고, 그 사람이 회사에 적합한지를 판단하는 기준으로 사용한다.

이력서는 회사에 나를 어필하는 첫 단계로서, 나의 첫인상을 결정하게 한다. 그래서 서류 뿐만 아니라 면접에 까지 영향을 미치게 된다. 이에 자신이 가지고 있는 지식, 능력을 작성하는 것도 중요하지만 이를 잘 표현하여 인사담당자의 시선을 끌어내야 한다.

2. 입사지원서 작성시 고려사항

• 지원하는 기업 및 직무에 맞게 작성한다.

지원하는 기업 및 직무에 대한 이해를 바탕으로 입사지원서를 작성해야 한다. 이를 통해 지원자의 관심과 열정을 기업에 어필할 수 있다.

- 정확하고 완벽하게 작성한다.

입사지원서는 지원자의 첫인상을 결정하는 중요한 문서이기 때문에 정확하고 완벽하게 작성하여 지원자의 신뢰성을 높여야 한다.

- 공백을 최소화한다.

입사지원서에는 지원자의 역량과 경험을 최대한 어필할 수 있는 내용을 작성해야 함으로 따라서 공백을 최소화하여 지원자의 역량을 효과적으로 표현해야 한다.

- 구체적인 사례를 활용한다.

지원자의 역량과 경험을 어필할 때는 채용자가 글만 읽어도 유추가 될만한 구체적인 사례를 활용하는 것이 좋다. 그 내용으로 지원자의 역량 정도를 이해할 수 있다.

- 자신의 강점을 부각한다.

자신의 강점을 부각하여 기업에서 필요로 하는 인재임을 어필해야 한다. 자신의 강점을 잘 파악하고, 이를 증명할 수 있는 경험이나 경력을 준비하자.

- 본인의 이력과 지원하는 기업의 직무를 연관 지어 작성한다.

지원하는 기업의 직무와 관련된 자신의 경험이나 역량을 강조하여 작성하면 지원자의 적합성을 어필할 수 있다.

- 지원하는 기업의 인재상을 고려하여 작성한다.

지원하는 기업의 인재상을 파악하여 그에 맞는 내용을 작성하면 지원자의 인재상과 일치함을 어필할 수 있다.

● 타인의 피드백을 받는다.

입사지원서를 작성한 후에는 타인의 피드백을 반드시 받자. 오타, 띄어쓰기 등 자신이 발견하지 못한 부분을 발견할 뿐만 아니라 문맥과 글의 이해 정도 등을 파악할 수 있어 부족한 점을 보완하고 입사지원서를 더욱 완성도 있게 작성할 수 있다.

3. 이력서 각 항목 작성법

● 사진 : 인사담당자의 시선이 가장 먼저 가는 곳이 사진이다. 즉 첫인상의 영향을 주게 되는 것이다. 사진으로 점수가 부여되는 것은 아니지만 이 사진으로 인해 다른 내용에 영향을 미치게 된다. 그러므로 긍정적이며, 자신감 있게 보일 수 있도록 사진을 찍어야 한다. 그 방법은 바로! 미소를 밝게 지으며 이마, 귀까지 환하게 보이게 찍는 것이다.

정장을 입고 깔끔한 이미지로 찍는다. 간혹 셀카, 인생네컷 사진을 제출하는 경우가 있는데… 인사담당자들 입장에서는 지원서에 제출하는 사진에도 대충하는 사람이 업무에는 어떨까라는 생각을 갖게 만든다. 또, 포토샵으로 너무 보정을 많이 해서 전혀 다른 얼굴이 면접에 오기도 하는 경우도 난감하다. 있는 그대로의 모습을 사랑하되 조금 밝고 긍정적으로 보정하는 정도(?)로만 해서 제출하자.

사진은 최근 3개월 이내 정도 된 것을 추천한다. 너무 나이

차이가 나는 것을 사용하는 것은 금물!

조금 더 팁을 주자면 각 회사의 대표하는 색깔이 있는데 그 색깔이 어느 부분에 포인트로 활용한다면 좀 더 그 회사 사람 같은 느낌을 줄 수도 있다.

• 인적사항 : 나의 신상을 작성하는 곳이다.

나의 이름, 주소, 연락처, 이메일 등을 작성하는 곳이다. 틀리지 않도록 꼼꼼하게 확인하며 적자.

이름을 작성 할 때 요즘은 많이 작성하지는 않으나 간혹 한자를 적어야 할 때가 있다. 자신의 이름 한자 정도는 알아 두자. 이름이 한자가 없는 경우가 있는데 그때는 비워 두어도 된다. 영문 이름을 적을 때는 여권에 기재된 영문 이름을 적어야 한다. 그리고 모두다 대문자로 적기 보다는 성에 대문자 한 번, 이름에 대문자 한번으로 적는 것이 좋다.

주소는 도로명 주소를 적고 우편번호는 5자리를 적는다.

연락처는 보통 자신의 연락처만 적는데 간혹 집전화 또는 비상연락처를 기재하는 경우가 있는데 이 때는 나 외에 회사에서 연락해도 되는 사람의 휴대폰 번호를 기입하고 그 뒤에 괄호를 해서 그 전화번호의 대상자는 나에게 누구인지를 적어 두자. 예를 들면 (부), (모)… 이렇게 적어 두면 좋다.

이메일은 최대한 짧고, 직무와 연관성이 있는 이메일이 좋다. 또 자신의 이름 첫 글자가 들어가 있는 이메일도 괜찮다. 이메일을 불러줄 때 부르기도 어렵고, 이해하기도 어려운 이메일 주소는 피해야 한다. 간혹 한글 이름을 자판에 영어로 되어 있는 것을 사용하는 경우가 있다. 예를 들어 '김 ' 을 'rla'라고 표기하는 형식이다. 이러면 자동변환으로 영어가 한글로 바뀌는 경우도 있고, 의미가 없다 보니 기억하기도 쉽지 않다.또 영어 다음에 오는 숫자가 영어와 비슷해서 혼돈이 되는 경우도 있다. 예를 들어 'kje0178'라고 하면 e 다음에 오는 0 , 1 이 o, l 로착각할 수도 있다. 자신의 이메일 주소는 어떤지반드시 점검하라.

그 외에 보훈대상자 여부도 작성해야 한다면 '정부24' 사이트에서 반드시 확인하여 작성하길 바란다. 혜택이 주어지는 기업이 있기 때문이다.

● 학력사항 : 자신의 학력을 작성하는 곳이다.

이 항목에는 아무리 칸이 많아도 고등학교부터 작성한다. 초등, 중등은 적지 않는다. 칸이 많은 이유는 전문대졸-대학편입, 대학-대학편입, 대학-대학원 등 다양한 학력이 있기 때문이다. 본인은 고등-대학 과정이 모두라면 2개만 적고 비워 두면 된다. 작성할 때는 최근 학력부터 과거 순으로 작성한다. 만약 양식이 고등학교부터 적도록 되어 있다면 그 양식대로 적으면 된다.

학교명을 정확하게, 줄이지 말고 작성한다. 그리고 입학일자, 졸업일자도 정확하게 작성한다. '년월일 ' 이라고 명시되어 있지 않으면 년도와 월까지만적으면 된다. '년월일 ' 을 작성할 때는 기본 양식이 없으면 '0000.00.00'자리수로 작성하면 된다.

학과를 작성할 때는 대학 학과를 정확하게 작성한다. 부전공, 복수전공은 괄호를 해서 작성한다. 특성화고, 마이스트고는학과가 있기 때문에 작성을 한다.

졸업여부에는 졸업, 졸업예정, 휴학, 자퇴 등 본인의 상황을 솔직하게 기재한다. 특히 졸업예정은 아직 졸업하지는 않았으나 언제 졸업할 것인지 '년월일'에 기재해두고 이때 졸업할 것이기 때문에 '졸업예정'이라고 작성한다.

학교 주소는 전체를 적을 필요는 없다. 보통 '소재지'라고 되어 있는데 '시, 군' 정도만 적으면 된다.

학점을 적을 때는 학교 기본 학점 기준을 제시하고 지원서를 제출할 시의 총학점을 적으면 된다. 성적증명서도 함께 제출하기 때문에 거짓으로 작성하지 말기! 예를 들면 '3.7/4.5', 3.7/4.2'라고 적는 것이다.

● 경력사항 : 요즘 기업들이 가장 중요하게 여기는 항목이다.

중고신입! 예전에는 스펙을 보고 괜찮은 인재를 채용해서 교육, 훈련해서 업무에 투입을 했다면, 이제는 업무를 빨리 이해하고 바로 투입할 수 있는 인재를 채용한다. 왜냐하면 교육, 훈련하는 과정 중에 시간과 재정을 들여서 직무에 맞는 인재로 양성했는데 퇴사하는 경우가 많아서 회사 입장에서는 손해가 많았기 때문이다. 그렇다 보니 이제 경력이 없는 신입을 채용하지 않으려고 한다. 그런데, 학생 입장에서는 다들 경력 있는 사람을 채용하니 어디서 경력을 쌓고 지원해야 할지 난감해진다. 방법은 직무와 연관된 아르바이트, 인턴 경험을 하는 것이다. 이것도 어렵다면 일단 첫 사회생활은 직무와 연관된 작은(?) 회사에서 경험을 쌓은 후 자신이 목표로 하는 기업에 지원하는 것이디.

경력사항에 회사명은 정확하게 기재하자. 그리고 입사와 퇴사를 정확하게 기재하자. 증명서를 제출해야 할 때가 있다. 그러니 부풀려서 적지 말기! 퇴사 이유를 적어야 한다면 부정적인 퇴사 이유를 적지 말고 긍정적인 내용을 적자. 예를 들면 ' 학업', '개인사정', '이사' 등으로 기재하면 된다.

회사주소를 작성할 때는 간단하게 '시, 군' 정도만 작성하면 된다. 업무내용 부분에는 본인이 했던 경험을 간단하게 작성하면서,할 수 있는 모든 업무를 꼼꼼하게 작성해둔다. 이 부분에서 인사담당자는 이 일의 경험이 있으니 이 직무를 빨리 이해하고 할 수 있겠구나라고유추하게 된다. 경험을 중요하게 생각하는 현재의 채용에서는 이 내용 부분에서 당락이 결정된다.

경험이 여러가지 있을 경우에는 직무와 가장 연관된 활동을 먼저 작성한다. 연관된 활동이 여러가지 있을 경우에는 최근에 활동한 것을 먼저 작성한다. 즉 지원서 작성을 할 때는 직무위주, 최근순으로 작성한다는 것을 꼭 기억해두자!

● 자격증 : 본인이 노력하여 성취한 것을 증명하는 것이다.

경력사항과 마찬가지로 직무와 연관된 것을 가장 먼저 적는다. 연관된 자격증이 여러 개 있다면 최근 취득한 자격증을 먼저 작성한다. 자격증 명칭을 정확하게 적고 취득일자도 '0000.00.00'라고 적는다. 그리고 인가처도 정확하게 작성한다. 이 또한 증명 자료를 모두 제출해야 하기 때문에 부풀려 적으면 안된다.

간혹 운전면허증을 적어도 되는지를 묻는데… 본인이 하려는 직무에 운전을 할 수 있으면 더 좋다라고생각이 들면 작성하되 연관이 없다면 굳이 작성하지 말길바란다.

- 어학능력 : 글로벌 시대에서 필요한 능력이다.

어학성적을 적는 경우에는 시험명칭, 취득한 일자, 취득한 점수 등을 정확하게 적어야 한다. 기업에서 기간 내에 취득한 것을 작성하라고 되어 있다면 그 이전에 시험 친 것은 작성하지 않는다. 그것이 명시되어 있지 않다면 시험담당 회사에서 명시하는 기한이 지나더라도 작성하면 된다.

요즘은 어학 성적 보다는 실제 능력을 더 중요하게 생각한다. 그래서 토익보다는 토스(토익스피킹), 오픽등 듣는 것과 말하는 것에 더 중요성을 두고 있다. 아니! 이 성적이 없더라도 외국 친구들과 얼마나 커뮤니케이션을 하는지를 더 중요하게 여기고 있다. 그래서 어학 능력에는 '상중하'로 표기하기도 한다. 이때 '하' 에 동그라미를 하면 안된다. 물론 전혀 모른다면 어쩔 수 없지만…

어학능력은 시험 점수를 표기하는 것이 절대 아니므로 지금부터 듣고 말하는 연습을 꾸준히 하여 글로벌적인 인재로 성장하길 바란다.

- 대외활동 : 인성을 파악할 수 있는 항목이다.

학교 생활 중에 학과 수업만 아니라 적극적으로 살아왔던 흔적을 알 수 있다. 동아리, 공모전, 학생회, 봉사 등 다양한 활동을 하면서 소통, 협업, 문제해결, 기획력, 추진력 등의 인성을 키우고 성장한 흔적이 있는가? 경력사항 만큼은 아니지만 이 또한 인사담당자가 중요하게 보는 항목이다.

간혹 어학연수가 취업에 유리한지 묻는데, 어학연수가 유리하기보다는 어학연수를 가서 얼마나 적극적으로 언어를 익히고 그 나라의 문화를 배우려고 했는지가 중요하다. 어학연수를 가서도 한국 사람이 많은 곳에서 배우거나, 언어 학습 시간 외에는 집에서 칩거하고 있거나 한국 친구들과 어울려 여행을 한다면 아무 소용이 없다. 차라리 한국에서 외국 친구를 사귀어라! 그것이 더 낫다.

간혹 학과에서 졸업기준으로 해 둔 봉사활동을 다 채우기 위해 헌혈만 열심히 하는 분이 있는데… 학과에서 봉사시간을 규정해 둔 것은 봉사활동을 통해 이타심을 키울 수 있도록 하기 위함이다. 그렇기 때문에 봉사 시간 채우는 것에 급급하지 말고 학과와 연관된 봉사를 할 만한 것을 찾아라. '365, VMS'에서 찾아보면 된다. 환경과 연관된 학과라면 하천 쓰레기를 줍도록 하자. 교육과 연관되어 있다면 교육 대상자가 초등일 경우 그 친구들을 만날 수 있는 봉사를, 중고등학생을 만나는 교육을 준비 중이라면 중고등학생을 만날 수 있는 봉사를 하자. 건축과 연관된 일을 한다면 '해비타트'를 추천한다. 그 외에도 본인이 하려는 직무와 연관된 봉사 활동을 찾아서 한다면 직무에 대한 이해를 빨리 할 수 있어서 도움이 되고, 앞으로 일을 할 때 어떠한 방향으로 일을 해야 할 지 포부도 세울 수 있다.

이 외에도 병역, 신체, 가족사항 등을 묻기도 하는데, 이 부분은 이제 많이 사라졌기 때문에 본 책에서는 언급하지 않도록 하겠다. 위 내용으로 열심히 작성하더라도 아래에 '기재 내용이 사실과 다름없음' 이라는 부분에 제출날짜와 이름, 서명을 생략한다면 아무 소용이 없다. 간혹 서명이 생략되는 경우도 있으나 요구하는 곳도 있으니 본인 도장이나 서명 정도는 파일로 가지고 있자. 'png' 형식의 파일로 해두면배경이 투명해서 사용하기에 더 좋다. 취업의 첫 관문인 이력서. 인사담당자가 가장 먼저 읽게 되는 첫 장에서 본인을 멋지게 어필하길 바란다.

위 내용을 바탕으로 '활동지 9-1'에 본인이 지원할 직무에 맞추어서 이력서를 작성해보자.

이 력 서

응시부문			희망근무지	1지망		2지망	

인적사항

사진 첨부	성 명	(한글)	희 망 연 봉		
		(한자)	생 년 월 일		(음력/양력)
		(영문)	주민등록 번호		
	주 소				
	연락처	전 화:	H/P:		
		E-Mail:	SNS:		

학력사항

학교명	재학기간	전 공	소재지	졸업여부	성 적

경력사항

조직/단체명	근 무 기 간	부서명	담당역할	조직 간략 소개

자격/면허사항

자격/면허명	등급	취득년월일	발행처

기타사항

구 분	내 용

위 기재내용이 사실과 다름 없습니다.

년   월   일   지원자   (인 또는 서명)

4. 자기소개서 작성법

자기소개서는 항목을 읽는 순간 머리가 하얘진다. '목표를 세우고 달성했던 경험을 적으세요. (700자)', '대인관계 중에 어려웠던 상황과 그것을 어떻게 해결했는지 적으세요. (500자)', '왜 우리 회사, 이 직무에 지원하는 적으세요. (500자)' 이런 내용을 읽는 순간 무슨 말을 어떻게 시작해야 할지 난감해진다. 어떤 소재로 어떻게 작성해야 할지 꼼꼼하게 체크하고 연습해보자.

(1) 3단계 작성법

① 키워드 찾기 (Key Word)

먼저 지원하는회사가 요구하는 인재를 파악해야 한다. 회사의 비전, 오너의 신년인사말, 기업의 인재상, 해당 직무에 요구되는 인재, 회사의 경영화두 등을 보고 본인과 매치가 되는 인재상을 기준으로 본인을 어필할만한 키워드를 선정하자.

② 사례 정하기

키워드를 정했다면 이제 그 키워드를 입증할 만한 사례를 생각해보자. 본인의 인생을 되돌아보면서 그 키워드를 예시로 들만한 이야기가 무엇이 있을까 생각해보라. 예를 들어 '도전정신'을 키워드로 잡았다면 도전했던경험들을 떠올려 보라. 거창하지 않아도 좋다. 물 위에 뜨기 위해 시도해 보았던 경험, 공모전에 출전한 경험, 목표한 몸무게를 이루기 위해 시도한 경험 등 도전했던 경험들을 떠올려보고 마구마구 적어보자.

③ 간결한 표현

키워드, 사례까지 정해졌다면 이제 멋지게 작성하기만 하면 된다. 간결하게 작성하라는 것은 두괄식으로, 명확하게 작성하라는 것이다.

-하고 싶은 내용을 먼저 간단하게 제시한 후 사례를 적는다.

-사례는 정확하게 적는다. '많이, 다양하게' 라고 표현하기 보다는 '10개 정도', '10%정도', '10명이 함께' 등 정확하게 기입한다. 육하원칙이 포함되게 적어서 읽는 사람이 그 상황을 충분히 상상할 수 있게 적는다.

-문장은 2줄이 넘지 않게 적고 마침표를 한다. 접속사는 최대한 생략한다.

-'나는', '저는', '제가' 등의 표현은 최대한 사용하지 않는다.

-부정적인 단어는 최대한 사용하지 말고 긍정적인 표현을 사용한다.

-약축어, 비속어 등을 사용하지 않는다. 예를 들어 '알바' 는 '아르바이트', '자격증을 땄다.'가 아니라 '자격증을 취득했다.'라고 작성하라.

-스토리를 적은 후 이 경험으로 귀사에서 어떻게 기여할 것인지로 마무리하길 바란다.

-작성 후 반드시 소리 내어 읽어보고, 주변 지인들에게 또 전문가에게 읽어 보게 한 후 문맥의 흐름, 언어의 선택 등을 다시 점검하길 바란다.

이제 3단계 작성법을 바탕으로 '활동지 9-2'에 자기소개서 작성
연습을 해보자.

활동지 9-2

지원할 회사명		지원할 직무명	
키워드			
사례			
표현			

(2) 각 항목별 작성법

자기소개서는 지문이 다양해서 각 지문마다 작성할 내용이 다르다. 본 책에서는 대략적으로 크게 4가지로 구분하여 설명하겠다. 각 회사에서 요구하는 지문이 이 4가지 중 어디에 해당이 되는지 살펴보고 해당되는 내용을 사용하면 된다.

① 성장배경 / 성장과정

이 항목에서 많이 오류를 범하는 것이 자신의 성장을 연대기별로 쭉 나열하는 것이다. 연대기별로 나열하는 것은 맞지만 키워드 없이 어디에서 언제, 몇 째로 태어났고, 부모님은 어떻고, 가정환경은 어떠한 지를 쭉 나열하는 경우가 있다. 초중고 시절의 이야기도 키워드 없이 쭉 나열한다. 회사는 당신의 연대기를 알고 싶은 것이 아니라 이때까지 살아왔던 경험으로 형성된 것을 알고자 한다.

태어나서 이때까지의 삶에서 품게 된 가치관, 형성된 성격, 인생의 목표, 이 직무에 관심을 갖게 된 계기 등을 '3단계 작성법'에 맞추어서 작성한다.

② 성격의 장단점

자기분석을 통해 알게 되었거나 주변 지인들에게 자주 듣는 자신의 성격을 파악해보자. 그 중에 지원한 직무역량에 도움이 될 만한 성격은 무엇인가? 장점인 성격을 정했다면 그 성격을 증명할 수 있는 스토리를 작성해야 한다. 예를 들어 '솔선수범'이라는 성격을 어필한다면 그렇게 했던 사례를 간결하게, 정확하게 작성하는 것이다. 그리고 그 성격으로 직무에 어떻게 기여할 것인지로 마무리를 하라.

단점은 그 직무를 하는데 치명적이지 않은 것으로 선택하라. 그리고 그 성격을 고치기 위해 노력한 것, 노력하고 있는 것을 적으면 된다.

③ 학창생활 / 경력사항

이 항목은 자신의 지식, 경험을 작성하는 곳이다. 그렇기 때문에 초중고 생활의 이야기보다는 대학생활에 집중하기 바란다. 인성보다는 실력에 집중하여 적으면 된다. 물론 대학에서 배운 것, 프로젝트 한 것 뿐만 아니라 공모전 도전, 아르바이트, 인턴, 현장체험등이 직무와 연관된 이야기이면 충분히 작성하면 된다. 간혹 군대 이야기를 적어도 되냐고하는데, 직무와 연관된 경험이라면 적어도 된다. 단! 누구나 했을 군대이야기는 금물!

인사담당자는 이 항목에서 당신이 얼마나 빨리 직무를 이해하고 일을 할 수 있는지 가늠할 것이기 때문에 이 항목에 대한 스토리가 지원하는 직무와 연관성이 높아야 한다.

④ 지원동기 및 포부

인사담당자가 가장 중요하게 보는 항목이다. 우리 회사에 왜 들어오고 싶은지, 들어와 서 무엇을 할 것인지, 우리 회사의 발전에 기여할 인재인지를 파악한다. 물론 지원자 입장에서는 월급을 받고 싶고, 워라벨이좋은 회사일수록 더 지원하고 싶어서 지원하는 것이지만 회사는 자선단체가 아니기 때문에 지원자를 통해 회사가 성장, 발전할 수 있어야 채용을 하는 것이다. 그저 시키는 일을 열심히, 최선을 다하는 지원자를 선택하지 않는다.

그렇기 때문에 회사에 대해 많은 공부가 필요하다. 회사와 관련된 기사, 오너의 생각, 올해 회사의 방향, 지원한 직무의 이해도 등 제대로 알고 작성해야 한다. 이 항목은 면접에서도 계속 이어지는 질문이기에 철저하게 공부해야 한다. '활동지 8-1'과 '활동지 8-2'를 잘 활용하여 작성하자.

이렇게 작성한 후 각 항목에 소제목을 정하기 바란다. 인사담당자는 너무 바쁘다. 그래서 여러분의 자소서를 꼼꼼하게 읽지 않는다. 대부분 Z형태로 읽는다. 그래서 소제목만 보아도 무엇을 이야기 하려는지 알 수 있도록 해야 한다. 소제목, 두괄식의 글을 통해 내용을 읽고 싶게 해야 한다. 소제목은 간결하면서 비슷한 형식으로 작성하는 게 좋다. 예를 들어 '새싹에서 나무로 ' 라고 했다면 다른 항목에서도 '틀림에서 다름으로'. 이런 형식으로 작성하는 것이다.

소제목까지 완성하였다면 반드시 소리 내어 읽어 보고, 주변인들에게 보여주어 피드백을 받길 바란다. 문맥의 흐름과 이해 정도를 파악하는 것 뿐만 아니라 자신은 몇 번을 읽어도 발견하지 못한 오타를 발견하기도 한다.

이제 이 내용을 바탕으로 '활동지 9-3'에 자기소개서를 작성해보자.

자 기 소 개 서

성장과정	소제목 :

성격의 장단점	소제목 :

학창생활 경력사항	소제목 :

지원동기 및 포부	소제목 :

5. NCS 기반 입사지원서 작성법

NCS(National Competency Standards)는 산업 현장에서 직무를 수행하기 위해 필요한 지식, 기술, 태도 등을 국가가 체계화한 것으로, NCS 기반의 입사지원서는 이러한 NCS를 기반으로 작성된 '입사지원서'이다. 능력 중심의 채용, 블라인드 채용이 많아지면서 각 직무가 요구하는 지식, 기술, 태도를 갖추고 있는지를 중점적으로 보다 보니 직무역량 위주의 지원서로 바뀌고 있는 것이다.

NCS 기반 입사지원서에서는 기존 이력서에서 요구하던 출생지, 출신학교, 가족사항 등 선입견을 가지게 되는 불필요한 요소들은 없어지고 직무와 관련된 지식, 경험을 알아볼 수 있는 항목들이 많아 졌다. 즉, '중고신입'을 더 채용하겠다는 것이다. 그렇기 때문에 지원자는 직무를 빠르게 결정하여 그 직무와 연관된 교육과 활동에 집중하여야 한다. '활동지 9-4'를 작성하면서 NCS 기반 입사지원서를 경험해보자.

> "목표를 설정하고, 그에게 집중하며,
> 항상 최선을 다하라.."
> - 토니 로빈스 -

능력중심 채용 입사지원서

1. 인적사항

사진	지원분야		우대대상여부	장애인( ) 보훈대상( )
			지원구분	신입( ) 경력( )
	성명(한글)		핸드폰번호	
	생년월일		이메일	
	현주소			

2. 교육사항

기술서 내 과업내용을 읽고, 이와 관련된 교육과정(과목)을 이수한 경우 적어주십시오.
(교육내용에 해당하는 직무기술서 내 과업(능력단위)을 기재, 여러 개일 경우 모두 기재)

구분	교육과정(과목)명	교육내용	학점
정규과정			
비정규과정			

3. 자격사항

직무기술서 내 관련 자격사항을 확인하고, 본인이 해당되는 자격증을 적어주십시오.
유형) 국가자격(국가기술자격, 국가전문자격), 민간자격(공인자격, 민간자격), 기타자격

자격유형	자격증명	발급기관	취득일자	자격증번호
국가자격				
민간자격				
기타자격				

4. 경력, 경험사항

직무기술서 내 과업내용을 읽고, 이와 관련된 경력·경험이 있을 경우 적어주십시오.

구분	조직명	직위/역할	활동기간(년/월)	주요 과업/활동 내용
공공기관				
민간기업				

6. 경험기술서, 경력기술서 작성법

경험기술서는 지원자가 이전에 수행한 경험을 기술하는 문서이다. 지원자의 역량과 경력을 파악하는 데 중요한 역할을 하기 때문에 서술식보다는 개조식으로 작성하는 것이 좋다.

경력기술서는 지원자가 이전에 보유한 경력을 기술하는 문서이다. 경험기술서처럼 개조식으로 작성하는 것이 좋다.

둘 다 지원하는 직무와 연관된 내용을 작성하여 그 직무를 잘 할 수 있으며 성과를 낼 수 있음을 어필해야 한다.

'표 9-1'을 참고로 해서 본인의 경험기술서와 경력기술서를 '활동지 9-5'에 작성해보자.

표 9-1

경 험 기 술 서
활동명: OOO동아리 직책 : 부회장 활동기간 : 2022.03~ 2023.02 (12개월) 주요 업무 : 일정 기획 및 예산 관리 1) 연간 행사 기획 　　작년 대비 행사 활성화 대책 회의 및 기획 　　행사 추진 방안 기획 2) 예산 관리 및 구매 　　동아리 행사별예산 기획 　　행사 각 항목별 구매 확인 및 증빙서류 수합

경 력 기 술 서
활동명: OOO공단 인턴 부서명 : OO부서 OO팀 활동기간 : 2023.01~ 2023.03 (2개월) 주요 업무 : 사무지원 및 보조 업무 내용 : 1) 사무지원 : OO광역시 인구 조사 분류 보조 　　서류 엑셀 처리 　　민원 응대 2) 업무 회의 참여 : 프로젝트 보고 및 회의 과정 정리 　　PPT 결과 보고 정리 　　회의 결과보고 정리 후 메일 발송

경 험 기 술 서

경 력 기 술 서

10.

면접 기법

1. 면접의 목적

면접은 채용의 마지막 단계로서 지원자의 가치관, 능력,태도 등을 총괄적으로 평가하는 과정이다. 입사지원서에 적혀 있는 내용이 사실인지 확인하고, 지원서에는 알 수 없는 내용들 증, 언어구사능력,두뇌회전능력, 창의력 증 직무수행능력을 확인한다. 그리고 성격, 인품 등을 확인하고 입사하고자 하는 열정의 정도를 파악한다. 그렇기 때문에 지원서의 내용을 잘 숙지하고 면접에 임해야 한다. 또 회사에 대해서, 직무에 대해서, 그리고 업계 동향, 국내외 정세 등을 이해하고 면접에 임해야 한다.

면접에서 좋은 점수를 받기 위해서는 긍정적인 이미지와 더불어 직무에 대한 이해도, 직에서 요구하는 인성, 지식들을 잘 갖추고 있음을 어필해야 한다. 그렇기 때문에 면접 공부를 철저하게 해야 한다.

2. 면접 유형

(1) 단독면접(일대일 면접)

지원자 1명, 면접관 1명으로 이루어지는 면접 유형이다. 대부분 소규모의 회사에서 이루어지는 형식으로 1~2회 정도의 면접으로 합격여부를 판가름 한다.

단독면접이다 보니 면접 형식에 얽매이기 보다는 자유로운 분위기로 이루어지는 경우가 많다. 면접관 입장에서 자유롭게 구체적으로 질문을 얻을 수 있어서 좋으나 시간이 많이 소요되는 면접이며, 면접관의 선입견이 많이 개입될 수도 있다.

업무와 관련된 질문 뿐만 아니라 인성적인 질문까지 광범위하게 지원자를 알고자 한다. 그래서 지원자는 지원서의 내용 뿐만 아니라 회사, 직무에 대해 공부를 하고 가야만 한다. 그리고 자연스러운 분위기 이다 보니 궁금한 것을 질문하는 것도 좋다. 지원자는 면접을 받지만 말고 본인이 몸 담게 될 수도 있는 이 회사를 잘 알아볼 수 있도록 면접관에게물어보길 바란다.

(2) 개별면접(일대다 면접)

지원자 1명, 면접관 3~5명으로 이루어지는 면접 유형이다. 다수의 면접관이 1명의 지원자를 면밀히 관찰하는 형식이다 보니 각 면접관이 담당하는 역할이 부여되기도 한다. 지원자는 대답 뿐만 아니라 자세, 시선처리, 어휘 구사 등 신경을 많이 써야 하는 면접이다. 질문자에게만 시선을 두면 인되고 골고루 쳐다보며 답변을 해야 한다. 면접 시간이 대부분 짧게 이루어지지만 그 시간 내에 많은 것을 채점하기 때문에 긴장을 많이 해야 하는 면접이다.

(3) 집단면접(다대다 면접)
보통 지원자 5~8명, 면접관 3~5명 정도로 이루어지는 면접 형식이다. 면접관들은 지원자들을 서로 비교하며 평가하게 되는 경우가 많아서 그 날 어떤 팀으로 편성이 되어 들어 가느냐가 영향을 미치게 된다. 자신에게 질문하지 않더라도 자세를 바르게 하고 경청하도록 해야 한다. 똑같은 질문을 나에게 할 수도 있기 때문에 긴장의 끈을 놓치면 안된다. 이 면접은 1분 자기소개가 제일 첫 답변이다. 그만큼 첫인상으로 영향을 주는 멘트이기 때문에 면접관이 고개를 들고 나를 쳐다볼 수 있도록 준비해야 한다. 지원자들과의비교에서 우위가 되기 위해서는 밝은 미소, 긍정적인 멘트, 적극적인 자세 등을 계속 유지하면서 면접에 임해야 한다.

(4) AI면접
한국에서 가정 많이 사용되는 AI 면접 프로그램은 마이다스아이티의 'inAIR'이다. 질의응답과 게임을 60분 정도 하고 나면 자기분석, 뇌과학분석, 심층분석으로 결과가 도출되는 형식이다.
면접을 시작하기 전에 조용한 환경을 만들고, 뒷배경이 지저분하거나 어둡지 않도록 준비한다. 카메라와 마이크 등 면접

환경이 잘 준비되어 있는지 확인 후 자신의 이미지를 점검한다. 상체는 정장을 입고 메이크업을 해서 밝은 톤의 피부가 되도록 한다. 목소리 또한 자신 있게 답변할 수 있도록 미리 발성연습을 한 후에 시작하자.

먼저 질의응답에서 기본적으로 자기소개, 성격의 장단점에 대한 질문이 나온다. 이 대답은 '면접스피치' 부분에서 다시 다루도록 하겠다. 그 후 회사, 직무에 따라 다른 질문이 나오고 그 질문에 대해 답변을 하면 AI가 답변 내용, 얼굴의 근육 움직임, 눈동자의 위치 등을 파악하여 지원자를 평가한다.

질의응답에서 좋은 평가를 받으려면 카메라를 잘 응시하고, 미소를 지으며 긍정적인 이미지를 갖추도록 하자. 면접을 볼 동안 카메라는 지원자의 얼굴 근육의 변화를 감지하여 긍정적인 근육 사용 정도를 파악하여 긍정성이 몇 %인지 점수화 한다. 또한 대답에서 지원하는 회사와 직무와 연관된 단어를 많이 사용하는 것이 좋다. 회사의 비전, 핵심가치,인재상등에서 사용되고 있는 단어를 자신의 이야기에 언급하는 것이다. 그렇게 사용한 빈도가 많을수록 점수가 높아진다.

AI면접에서 상황질문은 논리보다 키워드가 중요하다. AI 기반으로 평가가 되다 보니 내용보다는 단어 사용을 확인하는 것에 더 치중되어 있다. 기업, 직무에서 요구하는 키워드를 확인해두고 자신의 답변에 녹아내려고 연습하자.

(5) 토론면접

지원자 5~10명 정도가 제시된 주제를 두고 10~30분 정도 토론하는 동안 평가하는 면접 유형이다. 면접관은 관여하지 않고 토론과정을 지켜보면서 평가를 한다. 제시된 주제를 두고 찬반을 나누어서 토론하기도 하고, 자유토론으로 진행되기도 한다. 간혹 찬반으로 토론할 때 인원이 적정하게 분배되지 않으면 지원자의 생각과는 상관없이 자신의 반대 생각에 참여해서 토론을 해야 하는 경우도 발생한다.

토론 면접에서는 자신의 주장을 강하게 말하기 보다는 상대의 말에 경청하며 충분히 이해하는 것을 표현하면서 자신의 생각을 부드럽게 제시하는 것이 좋다. 타협과 절충의 노하우를 보여 주어야 하며, 메모를 하면서 잘 경청하는 것 또한 보여주어야 한다.

(6) PT면접(프레젠테이션 면접 / 발표면접)

제시되는 주제로 자신의 생각, 의견 등을 발표하는 형식의 면접 유형이다. 지식, 상식, 상황 등 여러가지 주제를 주고 선택하여 5~10분 정도 준비하도록 하여 10~20분간 발표하는 형식도 있고, 면접 전에 미리 주제를 주어 준비해서 오도록 하여 발표하는 방법도 있다. 면접 날에 바로 주제를 주는 경우는 스토리텔링으로 발표를 하는 경우가 많고, 미리 주제를 주는 경우는 PPT로 제작하여 발표하는 경우가 많다.

요즘 이 면접 형식을 많이 사용하는데, 이 면접을 하면 지원자의 사고력, 기획력, 논리력, 문제해결력, 스피치 능력 등 많은 것을 확인할 수 있기 때문에 선호한다. 특기 PPT를 제작해서 발표할 경우에는 PPT를 다루는 능력 또한 가늠할 수 있다.

PT면접에서는 발표 후 질의응답 시간도 주어지기 때문에 답변까지 준비해가야 한다. 발표할 때는 논리정연하게 내용을 정리하여 발표해야 하며 ,두괄식으로 발표하여 면접관들이 잘 이해할 수 있도록 하여야 한다.

3. 면접 내용

(1) 실무면접

지원한 직무가 요구하는 능력, 지식 정도를 파악하는 질문으로 이루어진다. 전공 지식, 취업 준비 상황, 실무 경험 등을 확인한다.

(2) 역량면접

지원한 직무와 연관된 역량을 파악하는 질문으로 이루어진다. 직무와 연관된 지식, 기술, 태도 등을 파악하여 직무의 적응 정도를 가늠한다.

(3) 압박면접

지원자의 약점을 질문하여 심리적으로 위축된 상황에서 대응하는 능력을 파악하기 위해 진행된다. 히지만 요즘 이 질문은 기업의 이미지를 실추시키고, 좀더 나아가 소송까지도 가기 때문에 많이 사용하지 않는다.

(4) 인성면접
조직생활에서 발생할 수 있는 상황에서 어떻게 대처할 것인지를 알아보는 질문들로 이루어진다. 대부분 면접의 최종단계에서 점검하는 질문으로 임원들이 주로 하는 질문이다.

4. 면접 이미지

면접에서 외모는 좋은 인상을 주는 중요한 요소이다. 그렇기 때문에 자신의 강점이 잘 부각되게, 그 직무에 어울리게 준비하도록 하자.

(1) 청결하고 단정한 이미지
정장을 입되 본인에게 어울리는 것을 선택한다. 요즘은 퍼스널컬러 찾아주는 여러 도구들이 있다. 웜톤인지, 쿨톤인지 확인하고 본인에게 어울리는 색상을 활용하자.
그렇다고 너무 튀는 색상을 선택하라는 것이 아니라 자신에게 어울리면서 전문가스러운 이미지를 선택하는 것이 좋다.

(2) 남성 정장

남성의 경우, 일반 사무직은 네이비나 그레이 톤의 정장을 추천한다. 네이비는 깔끔하고 단정한 느낌을 주며, 그레이 톤은 안정되고 지적인 느낌을 준다. 셔츠와 넥타이의 색상으로도 다양하게 연출이 가능하니 여러 방법으로 코디하면서 선택하길 바란다. 광고, 디자인 등 기획과 창의성을 요구하는 직종은 콤비로 상의, 하의를 다르게 매치하여 활동성을 강조하는 것이 좋다.

셔츠 소매와 셔츠의 목 부분은 1cm 정도 살짝 나오는 사이즈를 선택한다.

넥타이의 길이는 똑바로 설 때 벨트에 살짝 닿을 정도의 길이로 멘다.

양말은 정장 양말로 양복 색깔보다 진한색으로 착용한다.

(3) 여성정장

여성 정장은 남성보다 더 다양한 색상이 많아서 퍼스널컬러를반드시 찾아보기를 추천한다. 요즘은 어플로도 자신의 퍼스널컬러를진단할 수 있다.자신에게 어울리는 색상을 찾되, 직무와도매치가 되게 고려해서 결정하길 바란다. 화려하기 보다는 정결한 이미지, 전문가스러운이미지를 갖추도록 한다. 악세서리도 간단하고 작은 것으로 하여 눈에 너무 띄지 않도록 한다.

여름이라도 살구색 스타킹을 신어서 깔끔하게 연출하며 구두 굽은 5cm를 넘지 않도록 한다.

자신의 체형에서 커버해야 할 부분이 있다면 의상의 색상이나 디자인으로 커버가 되도록 연출해보자.

(4) 면접 인사

면접장에 가면 어디서든, 누구에게든 밝게 인사하자. '성공하고 싶은가? 그러면 먼저 인사하라!'라는 말이 있듯이 인사는 당신의 적극성을 표현하는 것이다. 면접을 들어가서도 미소를 지으며 자신 있는 목소리로 인사해야 한다.

면접에서의 인사는 '정중례'로 하게 되는데, 이것은 허리를 45도 정도 굽혀 4초 정도 멈춘 후에 다시 바르게 하고 '안녕하십니까'라고 한다. 이때 목이나 등이 휘어지지 않도록 바르게 인사한다. 앉을 때에도 등을 바르게 하여 등을 의자에 붙이지 않고 앉는다. 손은 남성의 경우 주먹을 살짝 쥐고 다리 위에 도구, 여성의 경우에는 공수(오른손이 위로 오도록 포개기)자세로 하여 다리 위에 올려 둔다. 남성은 어때 넓이도 벌려서 앉고, 여성은 두다리를 모아서 앉는다.

대답을 할 때 제스처가 필요하다면 자신의 가슴 정도의 넓이 안에서 사용한다. 간혹 사용되는 제스처는 집중을 할 수 있도록 유도하지만 너무 잦은 제스처는 집중력을 흐리게 하고, 주위가 산만한 사람으로 보여 지기도 한다.

5. 면접 스피치

(1) 1분 자기소개

면접에서 가장 먼저 하게 되는 스피치이다. 이 스피치로 인해 질문이 많아질수도, 단 하나의 질문을 못 받을 수도 있다. 그만큼 당신의 오늘 면접을 결정 짓는 주요한 요소이다. 1분 자기소개는 1분을 꽉 채우기 보다는 40~50로 정도로 말하면 된다.

1분 자기소개는 말하는 자의 속도에 따라 다르지만 대략 400~500자 정도가 적당하다. 말하기의 적당한 속도는 1분에 200자 원고지 2장 정도이기 때문에 A4 용지 반 장 정도의 분량으로 작성 후 자기소개를 할 경우 1분 내외로 자기소개가 된다.

1분 자기소개를 작성할 때는 다음 사항을 고려하자.

• 지원하는 기업 및 직무에 맞게 작성한다.•자신의 강점을 부각한다.

지원하는 기업 및 직무에 대한 이해를 바탕으로 작성하면 지원자의 관심과 열정을 기업에 어필할 수 있다.

자신의 강점을 부각하여 기업에서 필요로 하는 인재임을 어필해야 한다. 자신의 강점을 잘 파악하고, 이를 증명할 수 있는 경험이나 경력을 준비하자.

• 구체적인 사례를 활용한다.•연습과 피드백을 받는다.

자신의 강점을 어필할 때는 구체적인 사례를 활용하여 면접관이 구체적으로 이해할 수 있도록 해야 한다.

1분 자기소개는 말로 하는 것이므로 반복해서 연습하여 자신감을 갖는 것이 중요하다.

혼자 연습도 해야 하지만 타인의 피드백을 받아보면서 부족한 점을 보완하는 것이 좋다. 인형을 세워 두고 아이컨텍도골고루 하면서 연습하고 녹음을 하면서 연습하는 것도 좋은 방법이다.

1분 자기소개는 면접의 첫 단추이므로, 신중하게 준비하여 좋은 인상을 남기도록 연습에, 연습을 아주 많이 하고 모의면접 등 실전에 가까운 경험을 많이 하는 것이 좋다.

(2) 답변 형식

면접은 기본적으로 아래 형식의 흐름으로 답변하면 된다.

두괄식으로 먼저 대답 후 상황(Situation), 과제(Task), 행동(Action), 결과(Result) 순으로 답변하고 느낀 점, 깨달은 점 등을 말한 후 마지막으로 회사와 직무에 기여할 내용을 말한 후 '이상입니다 ', 또는 '감사합니다'라고 끝맺음을 하면 된다. 이것을 STAR기법이라고 부르는데 다시 '표 10-1'로 정리한 것을 살펴보자.

표 10-1	
진행순서	**구체적 내용**
주제문	이야기할 내용을 함축하여서 한 문장으로 말하기 예) 네, 저는 ~~~~ 대문에 그렇다라고생각합니다. 　　　 네. ~~~~에 대해 제가 알고 있는 부분을 말씀 드리겠습니다.
상황 (Situation)	질문에 대답할 내용을 하게 된 상황을 먼저 설명한다. 예) 팀 프로젝트로 O명이 한 팀이 되었습니다.
과제 (Task)	어떤 것을 수행하게 되었나요? 예) ~~~과제를 2주 내에 마무리 하여야 했습니다.
행동 (Action)	그 과제를 수행하기 위해 어떤 행동을 했나요? 예) 저는 자료조사를 담당하여 도서관 열람과 관련 교수 인터뷰를 했습니다.
결과 (Result)	어떤 결과가 나왔나요? 예) 자료들을 토대로 ~~~를 할 수 있게 되었습니다.
느낀 점 깨달은 점 다짐하게 된 점	무엇을 알게 되었나요? 예) 팀으로 프로젝트를 하면서 나만 잘 하기 보다 함께 잘 하기 위해~~~
기여할 내용	회사, 직무에서 어떤 부분에 기여할 것인가요? 예) 귀사에서 함께 할 동료들과 ~~~~~
끝맺음	이상입니다/감사합니다

(3) 고쳐야 할 면접 스피치

① 핑퐁식답변

면접관의 질문에 단답으로 답변하는 자세를 고쳐야 한다. "오늘 여기 오는데 몇 시간 걸렸나요?"의 질문에 "네. 1시간 조금 더 걸렸습니다.”라고 끝내지 말고, “네, 기차와 택시를 이용해서 오다 보니 1시간 정도 소요가 되었습니다. 오는 길에 오늘 만나게 될 회사에 기대를 하고 왔는데, 제가 기대한 것보다 더 큰 회사임을 알게 되어 더 기대가 됩니다. 이상입니다.” 등의 좀 더 이야기를 더 붙여서 하는 것이 좋다.

② 말끝을 흐리는 답변

마무리가 제대로 되지 않는 답변을 고쳐야 한다. “어느 정도의 성과를 내었습니까?”라는 질문에 “정확하게 계산을 해보질 않아서…”로 끝을 내면 안된다. “정확한 계산을 하진 않았지만 찾아온 방문객을 가늠해보면 그 시즌의 작년 매출보다는 25%정도더 성과를 낸 것으로 유추됩니다.” 등으로 대답을 해야 한다.

③ 습관적으로 사용하는 말투

그래서…, 저는…, 솔직히 말해서… 등 같은 어휘를 매 답변마다 반복적으로 사용하는 사람이 있다. 이런 화법은 언어 전달에 방해도 된다.

④ 불필요한 접두사, 접미사

음…, 그리고…, 저…, …인 것 같습니다등 말 시작이나 끝마다 습관적으로 사용하는 것은 없는지 확인하라. 자신감도 없어 보인다.

⑤ 불안한 말투

목소리가 작거나 떨면서 말을 하면 보고, 듣는 사람 조차 불안해진다. 복식 호흡을 하여 불안함을 가라앉히고 면접관들을 골고루 보며 자신 있게 말하는 연습을 하라.

그 외에도 한숨 쉬기, 말 더듬기, 불필요한 추임새 등이 면접에 감점 요인이 된다. 모두 긴장을 해서 나오거나, 습관으로 나오는 것들이기에 모의 면접을 통해 자신을 점검하고 당당하게 말 하는 연습을 하길 바란다.

6. 면접 시뮬레이션

면접이 긴장되는 것은 당연하지만 미리 준비를 한다면 차분하게 면접에 참여할 수 있다. 면접은 그 회사 입구부터 그 회사를 나가는 모든 과정이라고 생각해야 한다. 당신의 일거수일투족을 관찰하고 있다는 것을 잊지 말고 침착한 자세를 유지해야 한다. 그러기 위해서 시뮬레이션은 아주 중요하다.이제 면접의 전 과정을 한 단계씩 점검하고 준비해보자.

(1) 출발

면접시간에 늦었다! 감점 요인이 아니라 떨어진 것이다. 이 중요한 날에 시간을 어떻게 사용했기에 늦게 올 수 있느냐는 것이다. 아무리 늦어도 면접 시간보다 10분 일찍 도착해야 한다. 집에서 면접 장소까지 거리를 점검, 점검, 점검하여 혹시니 발생할 치편까지 꼼꼼하게 고려해서 준비하라. 만약에 어쩔 수 없는 상황(사고, 천재지변 등)이 발생하여 늦어진다면 담당자에게 미리 연락하여 상황을 이야기해서 어떻게 하는 것이 좋을지 본인이 정하기 보다 담당자의 지시에 따라 행동하기 바란다.

웬만하면 대중교통을 이용해서 가는 동안 면접 준비를 하는 것이 좋다. 갈 때 본인의 지원서를 한번 더 정독하고, 회사와 직무 관련된 기사 등을 읽으면서 준비하라.

(2) 대기실

대기실에서도 당신을 면접 보고 있는 눈이 있다. 정돈되지 않은 행동은 피하라. 다리 떨기, 하품하기, 손톱 깨물기, 머리 만지기, 왔다갔다하기, 코파기등의 행동을 하는 지원자가 있다. 긴장을 놓치지 말고 대기실에서는 회사의 홍보물을 열람하거나, 본인이 준비한 면접 자료를 보도록 하자. 외모를 가다 듬어야겠다면 조용히 화장실에 가서 가다듬고 오도록 한다.

(3) 입실

대기실에 있다가 호명을 하면 "네 " 라고 또렷하게 대답하고 간다. 면접실문이 있다면 노크를 세번 하고 ' 들어오세요 ' 라는 답변을 들은 후 들어간다. 만약 단체로 입실한다면 가장 먼저 들어가는 사람이 노크를 하고 문을 연다. 문을 열고 목례 후 본인 자리로 이동한다. 문을 열고 들어오면서 뒷사람이 들어오도록 문을 잠시 잡은 후 입장한다. 혼자라면 문을 살짝 닫고 입장한다. 단체 입장

에서 본인이 마지막이라면 문을 살짝 닫고 목례 후 본인 자리에
선다.

(4) 인사

본인 자리에 서서 최경례후 "안녕하십니까. 수험번호 000
입니다."라고 말한 후 면접관이 "착석하세요 / 앉으세요."라는
말을 들은 후 "감사합니다."라며 조용히 앉는다. 단체로 입장했을
때는 입장하기 전에 누가 '차렷, 인사 ' 를 지시할 것인지를
정하여야 한다. 보통 가장 먼저 들어간 지원자나 가장 나중에
들어 지원자가 담당한다. 가장 먼저 들어간 지원자가 한다면 모두
들어와서 본인 자리에 섰는지 확인 후 인사를 지시한다. 물론
나중에 들어간 사람이 하더라도 확인을 하는 것은 필수이다.

(5) 질의문답

1분 자기소개를 시작으로 다양한 질문과 답변이 오고 가는
시간이다. 자신 있는 목소리, 밝은 미소, 바른 자세를 유지하면서
본인의 생각을 잘 정리해서 답변하라. 질문이 떨어지기 무섭게
답변하기 보다는 잠깐의 생각 정리 후에 하는 모습을 보여주는
것이 더 침착해 보인다. 다른 사람이 답변할 동안 다른 생각을
하지 말고 나라면 어떤 답변을 할 것인지, 똑같은 질문이
나에게도올 수 있으니 잘 경청하여야 하며 잘 경청하고 있다는
것을 잠깐 고개를 끄떡이는 것도 좋다.

(6) 마지막 멘트

질의문답이 거의 마무리가 될 즈음에 면접관은 "마지막으로 할 이야기가 있으신 분" 이라고 묻는다. 이 때 본인이 오늘 반드시 해야 했던 멘트가 있다면 기회를 잡아야 한다. 바로 이야기 하기보다는 손을 들어 표시를 하고, 면접관이 이야기하라고 했을 때 답변을 하면 된다. 또 궁금한 것을 묻는 것도 회사에 관심도를 나타내기 때문에 긍정적으로 평가된다. 이 때 회사의 좋은 부분을 물어야 한다. 회사의 치부를 건드리면 안된다. 예를 들어 "제가 보도 기사들을 정리하다 보니 본사에서 올해 ~~국가로 진출하고자 목표를 두고 있음을 알게 되었습니다. 제가 하게 될 직무에서 ~~구가로 진출하는데 도움이 되는 역할은 어떤 것이 있는지 궁금합니다." 등으로 애사심을 표현하면 좋다.

(7) 퇴실

면접관이 "이제 나가셔도 됩니다."라고 한다고 면접이 끝난 것이 아니다. 자리에서 일어나서 최경례후 "감사합니다."라고 말하고 문을 열고 목례 후 문을 닫는다. 간혹 나가면서 "휴~~~"라고 하는 지원자가 있는데 뒤에 면접관이 있다는 것을 잊지 말도록! 그리고 일어났을 대 자신이 앉았던 자리 의자는 밀어 넣어서 정리를 한 후에 나가도록 한다. 만약 단체로 퇴실 한다면 아까 입실 때처럼 한 명이 "차렷, 인사" 라고 하고 단체로 최경례후 "감사합니다" 라고 말한다. 그리고 들어온 순서의 반대로 퇴실을 하는데 이때도 나가기 전 목례를 하고 조용히 나간다. 이 모든 것을 면접관들은 점수에 반영한다는 것을 잊지 말도록!

'표 10-2'를 통해 면접 사전 준비를 확인하자.

표 10-2				
구분	확인 내용			체크
사전 준비	자기소개는 잘 준비되었나?			
	기업정보는 잘 찾아 두었나?			
	면접장까지 교통편은 잘 확인했나?			
	이동에 걸리는 시간은 잘 확인했나?			
이미지 확인	전체적인 코디는 어울리는가?			
	의상은 다림질이 되었는가?			
	구두는 깨끗하게 닦았는가?			
	헤어스타일은 단정하게 되었는가?			
	손톱은 깔끔하게 정리 되었는가?			
준비물 확인	지원서	증명서	제출서류	
	필기용품	간단미용도구	손수건	
	화장지	손목시계	담당자연락처	
	회사연락처	회사 약도	여분 스타킹	
	카드	현금	우산	

7. 면접 질문 답변지 만들기

지원서의 내용을 면접 질문으로 만들자. 면접관은 지원자 개인에 대해 좀 더 알기 원해서 지원서를 훑어보며 질문한다. 확인차하는 질문도 있고, 좀 더 상세하게 알고 싶어서 질문하는 경우도 있다. 예를 들어 "지역 ~라고 되어 있는데 우리 회사에 출퇴근 하려면 어떻게 하실 생각이세요?" 라고 묻는 것이다. 특히 학과공부, 경험, 경력 등은 지원자의 지식, 능력을 확인하기 위해서 꼭 물어보니 사전에 지원서 내용을 두고 면접 질문을 만들고 답변을 정리하자. 답변을 정리할 때는 'STAR 기법 ' 을 응용하여 답변을 만들어 두길 바란다. 이제 당신의 지원서를 펼쳐 두고 면접 질문과 답변을 '활동지 10-1'에 작성해 보자.

활동지 10-1

면접 질문	면접 답변 (STAR 형식)

8. 면접 테스트지

각 면접을 연습할 때 테스트지를 두고 평가하면 면접 시뮬레이션을 더 잘 할 수 있다. 4~6명 정도 팀을 이루어 모의 면접을 하면서 '활동지 10-2', ' 활동지 10-3', '활동지 10-3'을 활용하여 평가한 후 피드백을 주는 시간을 갖자.

"계획이 없으면 목표가 없다.
목표가 없으면 성취가 없다."
- 레이 리오넬 -

이름	지원부서	학과	면접관
			(서명)

평가항목	세부항목	평가 점수	세부 평가 내용
용모 태도	복장은 단정한가?		
	표정은 밝은가?		
	건강한 외모를 갖추었는가?		
	바른 자세를 갖추었는가?		
표현력	말에 자신감이 있는가?		
	논리 정연하게 말하는가?		
	긍정적인 언어를 사용하는가?		
조직 적응력	경청하는가?		
	협업하는 자세를 갖추었는가?		
	리더십이 있는가?		
	문제해결력이있는가?		
직무 평가	직무에 대한 지식이 있는가?		
	직무 경험이 있는가?		
	직무에 대한 비전이 있는가?		
인성	가치관이 뚜렷한가?		
	공동체에 대한 기여를 가지고 있는가?		
총합			
총평			

토론 면접 평가지

이름	지원부서	학과	면접관
			(서명)

토론주제	

평가항목	세부항목	평가 점수	세부 평가 내용
태도	발표하는 자세가 적극적인가?		
	토론자의 의사를 존중하는가?		
표현력	말에 자신감이 있는가?		
	논리 정연하게 말하는가?		
이해도	주제에 대해 잘 이해하고 있는가?		
	주제와 관련된 지식이 있는가?		
스피치 능력	반론에 대한 대응 능력이 있는가?		
	현실적인 해결방안인가?		
	결론 도출에 기여했는가?		
인성	끝까지 평정심을 유지하는가?		
	소통에 적극적인가?		
총합			
총평			

- 157 -

PT면접 평가지

이름	지원부서	학과	면접관
			(서명)

PT주제	

평가항목	세부항목	평가 점수	세부 평가 내용
용모 태도	바른 자세, 밝은 표정을 갖추었는가?		
	외모는 깔끔한가?		
표현력	말에 자신감이 있는가?		
	청중의 공감을 끌어내는 내용이 있는가?		
	기승전결, 두괄식으로 표현하는가?		
스피치 능력	주제와 연관된 내용의 발표인가?		
	핵심 내용이 뚜렷한가?		
	전문용어, 상식 등을 잘 사용하는가?		
창의성	문재 해결을 새로운 시각으로 보는가?		
	현실가능한 해결력이있는가?		
총합			
총평			

11.

포트폴리오

디자인 분야에서 사용되었던 포트폴리오가 이제는 대부분의 분야에서 제출하는 서류가 되었다. 물론 채용공고에는 포트폴리오를 제출하라고 명시되어 있지 않으나 경험, 경력을 중시하는 채용이 확대되면서 자신의 경험, 경력을 어필할 포트폴리오가 합격 당락을 죄우하게 되었다.

포트폴리오는 지원자의 능력을 한꺼번에 보여줄 수 있는 자서전이다. 또 취업했다고 멈추는 것이 아니라 사회 활동 중의 모든 것을 정리하여 경력직으로 이동할 때도 큰 무기가 된다. 그렇기 때문에 포트폴리오는 당신이 살아가는 동안 계속 업그레이드를 해야 한다.

포트폴리오라고 하면 PPT로 본인을 소개하는 것을 제작하는 것으로 대부분 이해하는 데 이제는 계속 업그레이드 할 수 있는 블로그(blog), 노션(notion)을 많이 사용한다. 유튜브에 검색해보면 이 2가지를 이용하여 자신의 프로필을 만든 사례를 많이 볼 수 있으니 참고하길 바란다.

https://www.sireal.co/notion-portfolio에 들어가서 사례들을

살펴보면서 자신의 노션 포트폴리오를 만들면 좀 더 쉽게 제작이 가능하다. 잘 보면 무료로 복사해서 사용하도록 개방한 템플릿도 있으니 잘 활용하길 바란다.

그러면 포트폴리오에는 어떤 내용을 담을까?
- 자신을 소개하기
- 취득한 자격증 작성하기(국가자격, 민간자격 등)
- 보유한 스킬 작성하기(한글, 파포, 엑셀, 포토샵 등)
- 자신이 공부한 흔적 남기기
- 공모전 제출한 흔적 남기기
- 봉사활동 등 대외 활동 흔적 남기기
- 신문 스크랩(직무, 회사 위주)
- 독서 기록
- 하루 일기

이 외에도 자신의 능력, 인성, 체력 등을 보여줄 수 있는 내용이면 무엇이든지 좋다. 이것을 블로그에는 카테고리를 만들어서 내용을 충실하게 넣고, 노션에서도 카테고리를 만들어서 정돈된 이미지로 정결하게 정리하면 된다. 아래 '활동지 11-1'에 어떤 내용의 카테고리를 만들 것인지 기획해보자.

활동지 11-1		
카테고리	세부 항목	세부 내용
나를 소개	사진	
	자기소개 내용	
자격증		
스킬		
지식		
경험	공모전	
	팀플	
	동아리	
직무	신문 스크랩	
	직무 정보 정리	
인성 체력	독서	
	봉사	
	운동	

12.

미래 설계

아무리 계획을 철저하게 세워도 실행하지 않으면 아무 소용이 없다. 이 책을 통해 많은 부분을 이해하고 작성하고 연습하였더라도 도전하지 않으면 안된다. 지원서 작성을 그렇게 열심히 연습해 놓고 지원하지 않는 학생이 있다. 왜 지원하지 않느냐고 물어 보면 아직 자신이 부족해서라고 답변한다. 세상에 완벽해서 지원하는 자가 몇 명 있으랴? 그리고 완벽이라는 기준은 어디쯤인가? 도전하고 실패해보고, 도전해서 그 다음 단계로 나가보면서 우리는 배우는 것이다. 그렇기 때문에 이론에 갇혀 있지 말고 문을 열자!

이 책을 통해 대학생활, 20대를 어떻게 지내야 할 지 가늠이 되었을 것이다. 이력서에 직무와 연관된 어떤 내용을 담을 것인가? 면접에 가서 어떤 사람임을 어필할 것인가? 아니 이 시대에, 이 땅에 태어난 당신은 어떤 영향을 끼치며 살아갈 것인가? 곰곰이 생각해보자. 그냥 편안하게 살다가 편안하게 죽는 것이 목표가 되지 말기를 바란다.

이제 마지막 활동으로 당신의 가치관 정립과 그 기치관으로 살기 위해 취해야 할 행동, 목표를 '활동지 12-1'에 기록해보자.

활동지 12-1

나의 사명		
목표		
나의 실행 계획	올해	
	10년 후	
	20년 후	
	30년 후	
	40년 후	
	50년 후	
	60년 후	
	70년 후	
	80년 후	
꾸준히 성장할 부분		
기타		

"성공하고 싶은가? 그러면 웃어라."
- 커리어디자이너 김현숙 -

취업을 위한 대학생활